KB055475

우리는 날마다
조금씩

행복해진다

- 일러두기

이 책의 맞춤법과 외래어 표기는 국립국어원 어문 규정을 따랐으나 저자 고유의 입말을 살리기 위해 표준어와 다르게 표기한 부분이 있습니다.
내용에 등장하는 저자명은 '얼이'(김한얼), '음미'(하은미)라고 표기했습니다.

우리는 날마다 조금씩 행복해진다

얼미부부표
행복 소환 에세이

김한얼·하은미

웅진 지식하우스

하루하루 일상이 괴롭기만 할 때
무얼 해도 공허하고 잘된다는 느낌이 들지 않을 때
너무 힘이 빠져 숨고만 싶을 때
그럴 땐 아무 생각 없이 쉬어 보는 건 어때?

어차피 인생은 순한맛과 매운맛을 오가는 거라잖아.
순한맛인 순간에 매운맛을 단단히 준비해버리자.
그럼 '매운맛, 그게 뭐라고?'라는 생각이 들 거야.

이 책을 날마다 조금씩 작은 행복을
깨닫기 위한 준비 운동이라고 생각해줘.
우리가 생각하는 행복에 관해 소개하는 페이지를 넣었어.
재미있는 나날과 그렇지 않았던 일상도 함께 적었고.
곳곳에 있는 여백에는 꼭 여러분의 이야기를 채워줘.
스스로 생각하는 소중한 기쁨의 순간들을
한번 더 들여다볼 수 있을 거야.

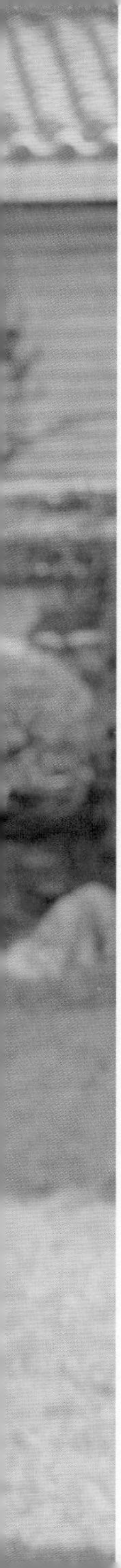

헤아릴 수 없이 나쁜 일들이 우리를 지나쳤지만,
지금의 우리 너무 잘하고 있어.
앞으로도 '나'와 잘 지내는 '우리'가 되도록 하자.

프롤로그

1일 1행복,
날마다 행복을 소환하는 방법

음 미

연애 11년 차 커플에서 3년 차 부부로. 초짜 유튜버에서 실버 버튼을 받은 40만 유튜버로. 가수, 개그맨 지망생에서 다양한 특기를 개인 채널에서 보여주는 사람으로. 그렇게 일상의 소소한 행복마저 수만 명의 사람과 함께 나눌 수 있는 사람으로.

이 모든 게 겨우 3년 만에 일어난 변화다. 사람들은 이처럼 갑작스러운 변화가 우리에게 행복을 가져다줬다고 말하기도 한다. 정말 그럴까?

대학 입시에 연달아 실패하면서 남들 다 가는 대학에

나만 못 가는 것만 같아 좌절했던 시간이 있었다. 집안 사정이 어려워 삼수 내내 줄곧 아르바이트를 하며 지내다 보니 오랜 시간 내 몸과 마음을 혹사한다는 기분에 서글퍼지기도 했다.

얼이도 마찬가지였다. 티브이에 등장하는 개그맨이 되고 싶었지만 일이 좀처럼 풀리지 않아 대학로 공연장을 전전했다. 대학로 공연만으로 수입이 되지 않아 보증금 20만 원짜리 반지하에 살 때는 끝나지 않을 터널에 갇힌 것만 같았다고 말했다.

둘이 함께할 때도 사정은 비슷했다. 식당에서 세트 메뉴를 시키기도 힘들어서 5천 원짜리 단품 메뉴를 섭렵했고, 서울의 궁이란 궁은 다 돌아다니며 막차가 끊기기 전에 버스와 지하철로 서로의 집까지 데려다주는 게 우리 데이트의 대부분이었다. 마치 누군가 적어둔 각본처럼 무미건조하게 흘러갔다.

지금은 그토록 지난하고 고된 나날도 추억이 되었다. 하지만 그건 아마 시간이 부린 마법일 것이다. 사실은 이러다가 아무것도 되지 않을 것 같아서 전전긍긍한 날이 무수했다. 시간이 가면 분명 나아진다는 믿음이 있으면서도 계속 초조했다. '그래서 언제?', '우리는 언제?'라는 의심을 하며 계속 꿈에 쫓기는 기분이었다.

하지만 불행한 사람은 안다. 불행에 쓰는 시간도 전부 에너지라는 걸. 모든 시간을 불행해하는데 쏟아붓는 것도 사실 굉장히 어렵다.

그래서 우리는 불행을 건너뛰기로 했다.

우리는 우울한 날에도 하루 한 번씩 꼭 웃었다. 나름 예술계 입문을 꿈꾼 덕분인지, 폼을 잡고 싶었던 건지도 모른다. 하지만 우리가 확신하는 건 있었다. 꿈이 나에게서 자꾸만 멀어져간다고 해도 그게 삶의 행복을 무너뜨릴 수는 없다는 것, 좌절이나 실패가 우리의 앞날을 없앨 수 없다는 것이었다.

웃기 힘든 날에는 마음속으로 이 말을 되뇌었다.

"어차피 내 인생의 결말은 해피엔딩이니까!"

물론 자기암시만으로 행복을 갖기란 어렵다. 하지만

나에게 되뇌는 행복의 말은 불행을 덜어주고, 스스로를 어떻게 대해야 하는지 깨닫게 되는 기적을 만들어준다. 그러다 보면 확실히 알게 된다. 꿈을 이루는 게 행복을 가져다주는 게 아니라, 내 마음을 잘 들여다볼 때 행복이 서서히 번진다는 것을.

"얼아, 나 너무 행복행~."

이따금 행복을 농담 삼아 둘이 웃는 시간이 생겼다. 다양한 사람에게 우리의 일상을 보여주고, 그 영상으로 즐거워하는 사람들의 응원이 가장 큰 기쁨이 되었다. 좌절이 행복으로 뒤바뀐 마음의 힘을 아는 우리는 늘 구독자들에게 말한다. 오늘도 행복하라고, 행복은 별거 아니라고. 혹시 오늘 행복하지 못했더라도 내일은 반드시 행복할 거라고.

어느 날은 유튜브 댓글을 보고 울컥한 적이 있다.

"두 분이 제 행복을 진심으로 바란다는 생각이 들어서 조금 뭉클했어요."

행복하라는 짧은 말만으로도 감동했다고 말하는 사람

들이 생겼다. 반면 계속해서 감정과 관계에 걸려 넘어지고 우울한 일들만 솟아나는 것 같은 기분에 사로잡혀 '어떻게 해야 하죠?'라며 메시지를 보내는 사람들도 늘었다. 그래서 우리는 글을 쓰기로 했다.

현실을 부정하고 코앞의 슬픔에 빠져 허우적거리는 사람에게 자기 자신을 조금 더 편안한 곳으로 데려가라고 말해주기로 했다. 처음 쓰는 긴 글이 어색하고 힘들더라도 다정한 행복의 시간을 선물해주고 싶었다. 우리도 그런 날을 겪은 적이 있었으니까. 하지만 마음에 행복이라는 근사한 단어만 새겨도 현실의 우울함은 금세 떨칠 수 있으니까.

행복도 노력으로 얻을 수 있다는 걸 알게 해주고 싶다!
이 책의 목표는 단 하나. 이 한 줄이다.

독자들의 행복을 바라며 켜켜이 쌓아둔 우리의 이야기를 엮었다. 모두가 쉽게 행복할 수 있다는 것. 작은 노력으로도 엄청나게 큰 행복이 굴러온다는 것. 자기계발을 하듯이 행복을 배우고, 행복도 레벨업할 수 있다는 것을 알려주고 싶다. 우리의 일상을 이야기하는 것이지만, 결국 행복이 도처에 깔려 있다는 것을, 행복에 달려들지 않아도 행복이 차근차근 곁에 오고 있다는 이야기를 하려 한다.

행복은 습관이다. 습관을 들이기 위해서는 수많은 연습이 필요하다. 물론 힘들 수밖에 없다. (모든 일이 자연스러운 습관이 되기 전까지는 모두 다 그렇다!) 하지만 한번 들인 습관이 우리 인생에 더 다채로운 기쁨을 안겨준다면 그걸 마다할 이유는 없다.

이 책에는 행복에 서툰 사람들을 위해 우리 부부의 행복 습관을 소개했다. 그리고 미처 깨닫지 못했던 행복을 여러 사람에게 되찾아주기 위해 다양한 질문을 담았다. 그 질문을 따라가다 보면 행복이 별거 아니라는 사실을 깨닫게 될 것이다.

이제 당신이 일상에서 행복을 주워 담을 일만 남았다. 물론 때때로 힘이 들고 짜증이 나고, 너무 벅찬 사건에 가로막힐 수 있다. 하지만 우리의 소박한 글에 담긴 행복이라는 감정이 여러 사람에게 전파되기를 바란다.

차례

2부

인생에 비구름이 들이닥쳐도 언젠가 결국 걷히기 마련이다

3부

매일이 우당탕탕 엉망진창 같아도 나답게 살기

4부

명랑한 얼굴로 오늘의 기쁨을 함께 누리는 방법

1부

모든 날이 봄처럼 빛나지 않아도 우리는 충분히 행복하다

헌팅 포차에서 만났습니다만

음 미

자칭 타칭 장기 연애의 끝판왕, 서로 마음 잘 맞는 우리의 첫 만남은 건대에서 이루어졌다. 장소를 조금 더 자세히 말하자면 '○○ 포차'. 그렇다. 유명 헌팅 포차다. 첫 만남 장소를 들으면 다들 뜨악하고 놀란다. 건대, 헌팅 포차. 이 두 단어만 말해도 알 만한 사람은 다 예상할 레퍼토리 아닌가. 하지만 그렇게까지 자극적인 장소는 아니다(가본 사람은 알 텐데…).

나는 '얼미부부'로 활동하기 전 공연 일을 했는데, 공연을 하다 보면 낯선 동네에 가야 할 일이 생기곤 했다. 그날의 공연 장소는 건대역 근처였는데, 우리 집에서도 거리가 있어 별로 가본 적도 없고 잘 아는 동네도 아니었다. 헌팅 포차 또한 순수한 마음으로 일이 끝난 뒤 함께 공연한 동생들과 한잔하기 위해 술집을 찾은 것뿐이었다(순수한 마음, 그저 술 한잔이라는 게 중요하다).

이른 시각이었고 그저 평범한 곳이라 생각했는데… 유명한 헌팅 포차라는 건 9시가 넘어서야 알았다. 이렇다 할 유명한 메뉴가 있는 것도 아닌데 문 앞으로 기나긴 줄이 생기는 게 아닌가.

'아, 못 올 곳을 왔구나…' 싶었지만 뭐 어떠랴! 솜털 보송보송한 동생들과 앉아 주야장천 추파를 던지는 헌팅 제안을 거절하며 공연 뒤풀이라는 우리의 순수한 목적을 달성하고 있었다.

"얘들아, 정신 똑바로 차려야 해. 괜히 합석 같은 거 하지 말고 우리끼리 잘 놀다가 집에 들어가자."

그때 멀리서 기차 소리가 났다.

"뿌우 뿌우!"

웬 남자 넷이 입으로 기차 소리를 내며 테이블로 오는

게 아닌가. 매가리도 감동도 없이 "합석하실래요?"라고 묻는 다른 남자들과는 DNA부터 달라 보였다. 등장부터 범상치 않은 이 남자들… 오자마자 온갖 개그를 던지며 정신을 쏙 빼놓는 게 아닌가.

물론 그들의 목적은 합석이었지만 어림없었다. 동생들에게 먼저 던져놓은 말이 있어 그저 도도한 표정으로 앉아 동생들에게 거절하라는 눈짓을 보냈다. 그런데 나를 바라보는 동생들의 눈빛은 달랐다. "언니, 너무 재미있어 보이는데 같이 놀면 안 돼요?"라고 눈으로 또박또박 말하고 있었다.

할 수 없이 그 남자들과 테이블을 합쳐 둘러앉았는데, 역시나 보통 녀석들이 아니었다. 말 한마디 한마디가 웃음 폭탄이었다. 역시나 그들은 개그맨 지망생이고 대학로에서 공연을 한다며 자신들을 소개했다.

공연? 가만히 있을 수 없었다. 우리도 공연을 하러 다니고 주목받는 사람들이라는 생각이 앞섰다. 당시 경연 프로그램이 유행했던 영향도 있었지만 분위기에 심취했다는 게 알맞을 것이다. 지기 싫다는 마음이 불쑥 솟아올랐다. 가감 없이 주접을 내보이고 그들을 이기고 싶었다.

그들의 콩트에 질세라 배우 연기를 따라 하며 장기자랑을 펼쳤고 까마귀 소리 개인기까지 뽐냈다(나의 히든 카드 같은 개인기였다).

그러면서도 틈만 나면 동생들에게 문자를 보내며 단속했다.

"절대 연락처는 주고받지 마. 이런 데서 남자 만나는 거 아니다."

마치 동창회 같은 편안한 자리여서일까? 술자리는 새벽까지 이어졌다. 술이라곤 한 잔을 채 마시지 못하지만 그때나 지금이나 취한 사람들 사이에서 늘 잘 어울리는 나였다. 그때 옆에서 툭툭 휴대폰을 내미는 남자가 있었다. 그렇다. 바로 김한얼, 얼이였다.

사실 번호를 줄 생각은 전혀 없었다. 남자친구와 안 좋게 헤어진 지 얼마 되지 않았던 때라 남자에게 신뢰가 없었다. 무엇보다 동생들에게 한 이야기가 있어 휴대폰을 밀어내기 바빴다. 그런데도 엄청나게 끈질긴 이 남자, 결국 내 휴대폰 번호를 넘기고 나서야 실랑이가 끝났다.

그리고 모두가 알다시피, 합석하면 안 된다고 한 내 입이 민망하게, 휴대폰 번호를 절대 교환하면 안 된다고 단속하던 내 눈이 민망하게, 건대 헌팅 포차에서 만난 얼이와 아주 오래 연애하고 결국 결혼을 했다.

만남이라는 건 언제 어디에서 올지 모른다 하더니, 내가 그 이야기의 주인공이 되리라곤 상상도 못 했다. 운명의 상대든 하늘이 내려준 짝이든 아무리 오라고 해도 안 오는 때가 있고, 나 혼자 열심히 살 테니까 아무도 오지 말라고 죽어라 외쳐도 끝내 나에게 당도하는 사람이 있다.

지금도 종종 그런 생각을 한다. 내가 만약 헌팅 포차인 걸 알고 그 자리를 피했다면, 아니면 얼이의 기차 소리에도 콧방귀도 안 뀌었다면 운명은 또 어떤 순간에 우리를 만나게 해줬을까?

사랑을 하면
행복이 선명해진다

음 미

얼이와의 만남은 정말 처음부터 신박했다. 헌팅 포차에서 만난 것도 그러했지만, 만나기 시작한 지 얼마 되지 않았을 때부터 얼이는 친구들 모임에 나를 불렀다. 얼이와 사귄 지 일주일 만에 얼이의 친한 친구를 다 만났을 정도였는데, 워낙 급진적인 장소(헌팅 포차)에서 만난 덕분인지 몇몇 친구는 "너희가 결혼까지 가면 내가 집 사준다!"라고 하면서 농담 아닌 농담을 하기도 했다(우리는 아직도 그 음성 파일을 갖고 있다).

100일이 이별의 기념일이 된 건 또 어떠한가. 100일 기념 입대라니…. 이 얘기까지 꺼내면 다들 놀란다.

꼭 자주 만날 수 있어야만 연애가 이어지는 건 아니다. 단 3개월의 만남 후 헤어짐이었지만 군대에서도 나에게 최선을 다하겠다는 얼이의 말을 철석같이 믿었다. 얼이가 청산유수 같은 말솜씨로 날 홀린 거였을까? 아니다. 얼이는 그 어떤 일보다 나와의 관계에 최선을 다하고 있다는 걸 느끼게 해줬다. 입대 후 첫 통화부터 전화를 할 수 있는 모든 순간마다 나에게 걸어 안부를 물을 정도였다.

특히나 내가 놀랐던 건 군대 100일 휴가 때 좋은 곳으로 놀러 가자는 내 제안을 뿌리치고 우리 아빠 납골당에 가자고 한 것이었다. 사실 아빠를 만나러 간 지 오래 되기도 해서 얼이의 제안에 놀라면서도 기뻤다.

둘이 여행하듯 버스를 타고 밥을 먹고 납골당에 도착했는데… 그런데…!

우리 아빠의 영정 사진 앞에서 느닷없이 얼이가 꺼억 꺼억 울기 시작했다. 여전히 아빠의 빈자리를 느끼고, 늘 아빠를 그리워하는 나도 매번 그렇게 세상이 끝장난 것처럼 울지는 않았다. 남들이 보았다면 영정 사진 속 아빠가 얼이의 가족이라고 생각할 정도였다.

당황한 건 나였다. 얼이를 달래며 물었다.

"얼아 왜 그렇게 우는 거야?"

얼이의 대답을 듣고 놀랄 수밖에 없었다.

"아니, 그냥… 나는 음미가 얼마나 슬펐을지 그게 느껴졌어. 그게 너무 마음 아팠어."

얼이의 마음이 너무 따듯했다. 그저 연인 관계를 이어가기 위해 최선을 다하는 게 아니라, 진심으로 나에게 마음을 다한다는 걸 알 수 있었다. 얼이와 연애를 하며 처음으로 진짜 사랑이 무엇인지 느낄 수 있었다.

얼 이

음미는 헌팅 포차가 처음이라고 했지만 나는 아니었다. 그렇다고 오로지 여자 만나기라는 목표를 정하고 간 자리도 절대 아니었다(굳이 밝히자면 음미와의 만남 전에 연애도 거의 안 해본 사람이 나다). 대학로에서 공연을 마치고 무대에 오른 친구들과 술을 먹다 보면 무언가 관객에게 덜 보여줬다는 느낌이 강렬하게 남았다. 이왕 술을 마실 거라면 다른 사람들과 합석해 우리의 개인기를 더 보여주고 싶다는 단순하고 순수한 마음으로 찾아낸 게 바로 헌팅 포차였다.

그런데 어느 날 그곳에서 음미를 만났다. 매번 웃기려고 가는 술집에서, 까마귀 울음소리 개인기를 펼치며 나를 웃게 하는 음미를.

내가 헌팅 포차에 가는 건 그저 처음 보는 사람들에게 웃음을 주고 개인기를 펼치기 위해서였기 때문에 단 한 번도 여자에게 따로 번호를 물어본 적이 없었다. 하지만 오히려 나를 더 웃게 만든 음미가 궁금할 수밖에 없었다. 처음으로 용기를 내 마음에 드는 상대의 전화번호를 받았다.

그렇게 성사된 대망의 첫 데이트. 음미와의 첫 데이트는 13년이 지난 지금도 선명하다. 나는 누군가와 대화할 때 상대가 웃으면 내가 한 말의 웃음 포인트를 기억했는데, 음미와의 첫 데이트에서는 전혀 달랐다. 내가 한 말은 전혀 기억나지 않고 오로지 음미가 어떻게 웃었는지만 뚜렷하다.

다른 친구를 통해서, 혹은 대학, 직장에서 만난 사이가 아니라서 서로의 정보가 적었지만, 나는 음미를 만난 순간 본능적으로 알 수 있었다. 상대를 생각하고 배려해주는 마음, 그 따듯한 마음이 단번에 보였다.

나와 같이 확실한 자기 꿈이 있었고 그 꿈을 위해 최선을 다하는 모습 또한 멋있었다. 게다가 어느 자리에서든 장난만 치는 내 친구들 사이에서도 장난을 받아줄 뿐만 아니라 자기 친구처럼 여겨준 모습에 또다시 반할 수밖에 없었다.

음미가 나의 부족한 부분을 넉넉하게 채워준 덕분에 이제는 나에게 무엇이 부족했고 음미가 무엇을 채워줬는지도 도통 생각나지 않을 정도다. 다만 한 가지 확실한 건, 음미는 항상 활발한 모습이 진짜 내가 아니라는 걸 깨닫게 해준 사람이라는 거다.

늘 큰 에너지로 크게 웃고 떠드는 이십 대 초반까지의 모습이 내 성향인 줄로만 알았는데, 음미와 책을 읽고 조용한 곳에서 시간을 나누면서 차분한 상태로 있을 때 내가 가장 편안하게 느낀다는 것을 깨닫게 됐다. 나조차도 알지 못한 내 모습을 음미를 통해 알게 된 것이다.

잘 맞는 우리는 자연스럽게 결혼을 약속하게 됐다. 나

는 음미에게 프러포즈를 하기 위해 머릿속에 구상을 짰는데, 매일 둘이 붙어 있으니 프러포즈용 선물 하나 몰래 사기도 어려웠다. 어쩔 수 없었다. 친구 지유에게 음미를 데리고 나가 잠깐 시간을 벌어달라고 부탁했다. 그러곤 거실 바닥에 꽃잎을 깔고 선물을 준비했다.

무엇보다 더 중요한 건 음미에게 하는 말이었다. 프러포즈를 할 때 무슨 말을 해야 할지에 대해서는 아주 오래전부터 생각해뒀다. 음미를 만나고 군대에 갔을 때부터 음미에 대한 내 생각들을 조금씩 적어놨었다. 감동적인 멘트까지 완벽하게 준비 완료인 것 같았지만, 문제는 그 말들만 떠올리면 주루룩 눈물이 났다는 사실이었다.

프러포즈하는 남자가 우는 건 아무래도 그림이 이상했다.

'안 울고 잘 할 수 있을까?'

고민이 많았지만 어쩔 수 없었다. 마치 공연을 준비하듯 대사처럼 입에 익숙해지도록 맹연습을 했다.

만반의 준비를 마친 후 도어락 소리가 들리고 문이 열렸다. …그리고 난 울었다. 음미 몸이 집 안으로 채 들어오기 전에 이미 눈물샘이 터져버렸다. 어쩔 수 없었다. 우는 얼굴로 나는 음미를 향해 진심을 담아 말했다.

"너는 항상 나를 더 빛나게 하는 사람이야. 늘 나를 더 나은 사람으로 만들어줬어. 음미 덕분에 지금의 내가 있어. 앞으로는 음미가 나로 인해 빛날 수 있도록 해줄게."

거실 바닥 꽃으로 만든 길, 그 길 끝에는 웨딩 구두가 있었고 나는 덧붙였다.

"이 구두 신고 나에게 와줄래?"

그리고 마지막, 참아냈던 눈물과 숨소리를 터뜨리는 오열로 프러포즈를 마쳤다.

프러포즈용 꽃과 선물을 준비해 돌아올 음미를 기다리고 있었다. 그런데 한 시간, 두 시간이 지나도 음미가 도통 돌아오지 않아 함께 간 친구 지유에게 연락을 했다.

"얼아, 큰일이다."

"왜 무슨 일인데?"

"고민이 있다는 핑계로 음미를 불렀는데, 음미가 고민

에는 쇼핑이 최고라면서 여의도 백화점에 왔네."

아, 지금 생각해도 아찔하다. 그렇게 나는 음미를 다섯 시간 기다렸다.

(사실 그날의 눈물은 '드디어 왔구나!' 하는 안도의 눈물이었을지도 모른다.)

내 결정을 옳게 만들면 돼

음 미

우스갯소리로, 얼이와의 티키타카 중에 늘 소재가 되는 내 이야기가 있다. 바로 삼수. 이제 농담으로 던지는 키워드가 될 정도로 아무렇지 않지만, 재수에 이어 삼수까지 이어졌을 땐 우울증까지 찾아왔다. 마치 나에게만 모든 슬픔이 몰아치는 것 같았고 실패자라는 생각에 빠져들기도 했다.

데이트는 대부분이 얼이의 공연이 있는 대학로 근처였고 자연스럽게 주변 산책로를 걷는 일이 많았다. 그 산책로를 걸을 때마다 스쳐 지나가는 대학생들의 웃음소리가 귀에 밟혔다.

"음미 울어?"

누구나 다 누리는 캠퍼스 생활을 직접 보니 그렇게 부러울 수가 없었다. 갑자기 눈물을 쏟아서 얼이가 놀란 적도 여러 번이었다.

하지만 다행스럽게도, 깊은 우울과 슬픔 모두 과거가 됐다. 이제 더 이상 대학교에 연연하지 않는다. 물론 아쉽지만 아쉬운 마음을 스물두 살 내 과거에 그대로 두기로 했다. 그 일이 아니더라도 내가 하고 싶은 일이 눈앞에 많이 놓여 있으니 성큼성큼 앞만 보고 걷기로 한 것이다.

내가 삼수까지 하게 된 건, 어디까지나 꿈을 이루고 싶은 통로가 대학뿐이라고 여겼기 때문이었다. 가수가 되고 싶었고, 같은 꿈을 가진 친구들과 즐기며 배우고 싶어서 실용음악과에 가려고 했다.

그런데 시간이 지나면서 내가 하고 싶은 일은 다른 통로를 통해 이룰 수 있고, 그걸 배우는 곳이 꼭 대학이 아니어도 괜찮다는 마음이 들었다. 무엇보다 더 많은 일을 경험하고 싶었다.

결론적으로 당시 하고 싶었던 일과 지금 하고 싶은 일

은 약간 다르지만, 많은 사람에게 나를 보여주고 내 재능으로 위로해주는 일이라는 것만큼은 똑같거나 비슷하다. (나름 '얼미쇼' 2회 차 전부 성공한 공연자이기도 하니까!)

어릴 때 아빠 차 안에서는 항상 가수 녹색지대의 음악이 흘렀고, 당시 일곱 살이던 나는 그 노래를 따라 불렀다. 노래 부르는 게 좋았고, 자연스럽게(?) 노래에 맞춰 몸을 움직이기 시작했다.

다른 친구들이 공부방과 음악 학원을 전전할 초등학생 때, 나는 재즈댄스 학원에 다녔다. 얼마나 재미를 느꼈는지, 집에 와서도 학원에서 배운 춤을 복습할 정도였다.

지독한 춤 사랑은 중학교 장기 자랑에서 꽃을 피우고 고등학교 때 절정에 달했다. 고등학교 시절 나름 지역 내 유명한 댄스 동아리 활동을 시작하며 365일 내내 연습하고 다양한 무대에 올랐다. 너무 좋아했던 거라 단 한 번도 지친 적 없었고 덕분에 큰 상도 여러 번 받았다.

그런데 생각지도 못한 문제가 생겼다. 중학교 내내 상위권을 유지했던 점수가 끝없이 내려가더니 수능에서 완전히 바닥을 보게 됐다. 그 사실을 받아들이기 힘들었다. 스스로 등 떠밀 듯 시작된 재수였지만, 오로지 인터넷 강의로만 공부하고 그 돈마저도 스스로 준비해야 했다. 알바와 공부를 번갈아 하며 재수를 시작하던 차에 문득 이런 생각이 들었다

'뭘 하고 싶어서 난 또 수능을 보려고 하는 걸까? 내가 대학에서 배우고 싶은 건 뭘까?'

1년을 더 쏟아도 아깝지 않을 과에 입학해 공부하고 싶었다. 그러다 나의 꿈을 다시 생각해보았다. 내 꿈은 어릴 적부터 가수였다. 초등학생 땐 최신 가요를 모조리 외워서 부를 정도였고 방문을 닫고 혼자 거울 앞에서 몇 시간이고 춤을 췄다. 엄마 립스틱을 몰래 바르고 가수가 된 척 온갖 표정을 다 지으며 노래 부르던 나였다.

'그래, 나는 가수가 하고 싶었어. 이제부터라도 시작해보자.'

재수를 시작하던 차에 하고 싶은 일이 생기자 다시 마음이 뜨거워졌다.

실용음악과 준비를 하려면 레슨을 받아야 했고, 그 돈을 벌기 위해서는 아르바이트를 늘려야 했다. 티브이에서 가수 오디션 프로그램이 들끓던 그 시절, 실용음악과의 인기가 치솟았고 내가 가고 싶은 대학의 경쟁률은 무려 500 대 1이었다. 여러 대학을 쓸 수도 있었지만, 재수에 삼수를 거듭하던 시절 현실적인 점수에 맞춰 입학하는 건 자존심이 허락하지 않았다.

그렇게 한 우물만 파던 나는 스물두 살이 되던 해 대학을 포기하기로 했다. 자연스러운 수순이었다. 내가 되고 싶었던 건 가수였지, 대학생이 아니었다. 대학이 아닌 꿈을 따르기로 마음먹었다.

그때부터는 실용음악과 면접이 아닌 가수 오디션을 보러 다녔다. 비싼 학원에서 레슨을 받기도 하고, 뮤지컬 학원을 다녀보기도 했다. 꿈에 관해서만큼은 진심을 다했다.

하지만 이상하게도 오디션에서 자꾸만 떨어졌다. 십대가 아니라서 나이가 많다느니, 자신감이 없어 보인다느니, 노래할 때 표정이 너무 못생겼다느니, 노래 실력과 상관없는 당황스러운 지적을 꽤 많이 들었다.

가수가 된다는 확신 없이 계속 학원과 아르바이트 그리고 오디션을 돌아야 하는지, 아니면 다른 일을 시작해야 하는지 혼란스러웠다. 인생이 선택의 연속이라는 걸 너무 일찍 알게 됐다.

어떤 결정을 해야 할 때, 중대한 결정일수록 내가 한 결정이 옳은지 틀린지 고민하게 된다. 그럴 때마다 나는 스스로 마음을 다잡는다.

'내가 지금 한 결정을 옳게 만들면 돼!'

그 말을 되뇌는 순간 열정이 솟아오른다. 그리고 내가 한 결정이 최선이었다는 걸 보여주기 위해 최선을 다하게 된다.

결국 가수가 되는 오디션을 포기했지만 공연에 오를 기회는 잡을 수 있었다. 학원과 오디션 현장을 누비며 배운 재주 덕분에 전국 중고등학교를 돌아다니며 교육용

뮤지컬을 시작할 수 있게 되었다. 그리고 몇 년 후 나는 '얼미부부'라는 이름으로 1200명의 관객 앞에서 노래를 부르게 되었다. 내 긴 꿈을 아는 구독자들은 내 진심을 알고 눈물까지 흘렸다. 문득 그런 생각이 들었다.

'아, 꿈을 언제 어떤 형태로 이룰지는 모르는 거구나. 꼭 가수가 되겠다는 다짐만 있었는데, 이렇게 무대에 올라 나를 좋아하는 사람들 앞에서 노래를 부르는 일이 생기기도 하는구나.'

꿈을 이루려 노력하다 보면 조급한 마음이 든다. 그러다 보니 내가 생각한 꿈의 범위 안에서만 어떻게든 달성하기 위해 애를 쓴다. 하지만 꿈의 범위에서 약간 벗어나 다른 일을 하다 보면 깨닫게 된다. 그 모든 경험이 하나로 뭉쳐져 새로운 범위의 꿈을 이루는 계기가 될 수도 있다는 걸 말이다.

가수가 되고 싶어 실용음악과를 지망했고, 뮤지컬 무대에 오르며 다양한 경험을 쌓다가 결국 크리에이터가 되어 무대에 올랐다. 만약 티브이에 나오는 가수만 나의 목표로 삼았다면, 얼미쇼 무대에서 노래를 부를 기회는 없었을지도 모른다.

'내가 지금 한 결정을 옳게 만들면 돼!'

이 짧은 문장이 지금의 나를 만들었다고 믿는다. 나를 가장 잘 아는 사람은 나뿐이니까, 내가 하는 그 어떤 결정도 나를 위한 것일 수밖에 없다고 믿는다. 그 결정을 독려하고 응원해주기 위해, 스스로 내린 결정을 옳게 만들기 위해 오늘도 힘을 낸다.

어차피 결말은 해피엔딩이니까

음미

'인생은 내가 주인공인 영화다. 고난과 극복이 수없이 반복되겠지만 이 영화의 결말은 어차피 해피엔딩이다.'

내 인생의 좌우명이다. 이 말처럼 생각하면 지금 눈앞에 닥친 힘든 일이 아주 조금은 나아진다. 곰곰 생각해보자. 해피엔딩인 영화를 보면 주인공들은 항상 크고 작은 고난을 겪고 어려움을 헤쳐 나간다. 그런데 고초와 시련이라는 여정은 결국엔 좋은 결과로 가는 거름이 된다. 나에게 지금 일어난 힘든 일들이 해피엔딩을 위한 과정이라고 생각하면 조금 견딜 만해진다.

대학에 떨어져 재수를 할 때는 밥을 먹다가도 갑자기 서러움이 올라와서 울기도 했다. 그렇지만 눈물을 뚝뚝 흘리며 울면서도 이렇게 생각했다.

'왜 자꾸만 안 되는 거야… (엉엉) 근데… 결말은 해피엔딩이야… (흑흑) 대학 못 간다고 새드엔딩이 되진 않겠지… 우어엉어어엉.'

우는 와중에도 속으로는 계속 자기 위로를 했다. 〈슈퍼스타 K〉 같은 오디션 프로그램만 봐도 1등을 거머쥐는 사람에겐 저마다의 사연이 있다. 우여곡절을 겪고 스펙터클한 고난을 넘어온 사람일수록 극적이다. 결국엔 오디션 프로그램에서 1등을 한 그들의 엔딩! 나는 그들의 사연을 보면서 생각했다.

'역시! 고난은 해피엔딩으로 가는 과정이구나!'

일종의 대리 기쁨이랄까? (앗, 하지만 나는 <슈퍼스타 K>에서도 예선 탈락이라는 쓴맛을 봤다….)

내 앞에 카펫처럼 깔린 해피엔딩을 생각하고 나면 눈물이 쏙 들어갔다. 내보낼 수 있을 만큼의 눈물을 쏟아내고 나면 언제 그랬냐는 듯 밥상을 치웠다. 막막한 슬픔을 받아들이는 비련의 주인공 역할을 맡다가도, 눈물이 그치면 현실적인 얼굴을 한 채 학원비를 벌러 집을 나서는 게 내 일상이었다. 미래의 나를 위해, 해피엔딩이라는 꿈을 마음에 품고서 말이다.

누구나 이런 긍정적인 믿음을 가질 수 없다. 물론 그 긍정성이 모든 일을 해결해준다는 건 착각이다. 닥친 어려움을 덜어주는 마법 같은 주문이 내 인생의 슬픔과 고난을 전부 없애주지는 않는다는 사실을 나 또한 잘 안다.

실용음악과 입시에서 또 떨어진 해였다. 수많은 오디션에서도 고배를 마시게 되니 그 높던 자존감도 뚝 하고 바닥을 쳤다.

'내가 노래를 못 부르는 것도 아니고, 춤도 고등학교 때부터 계속 해와서 어느 정도 추는 편이고, 나름 연기도 할 줄 알고… 끼도 이 정도면 충분히 있다고 생각하는데. 근데 왜 자꾸 떨어지는 걸까? 어쩌면 내가 모든 사람의 눈을 단숨에 사로잡을 단 한 가지 특출한 장기가 없어서 그런 걸까? 내가 잘한다고 생각한 것들이 사실은 다 애

매한 정도가 아닐까?'

내 재능을, 내 꿈과 노력을 의심하는 생각이 꼬리에 꼬리를 물었다. 내가 할 수 있는 모든 것이 모호한 특기처럼 보였다.

'그래, 내가 몇 옥타브 넘나드는 가창력을 가진 것도 아니고, 댄스 배틀에 나가 심사위원 모두를 뒤집게 만들 춤 실력이 있는 것도 아니고, 대사 한마디로 좌중을 압도할 만한 연기력이 있는 것도 아니니까.'

내 실력이 부족해서 입시에서 실패하고 오디션에서 떨어진다는 생각이 차올랐다. 희한한 건 그렇게 자존감이 바닥치고 내 미래를 어떻게 해야 할지 모르겠다는 생각이 이어지는 와중에도 꾸역꾸역 연습을 이어갔다는 것이다. 내가 힘들게 번 돈으로 어렵게 등록한 학원이라는 생각에 허투루 다닐 수 없었다. 그러던 어느 날 길을 걷다 문득 이런 생각이 들었다.

'아니, 이렇게 내가 여러 분야에 걸쳐 모두 조금씩 잘하

는데! 이거 장점 아니야?'

여러 가지를 이래저래 못하는 것보다는 이것저것 알차게 조금씩 할 줄 안다는 것, 그리고 꽤 잘한다는 게 얼마나 큰 능력인가! 그날부터는 자존감이 바닥을 쳤다는 인식조차 없이 더 열심히 연습했다.

신기하게도 생각을 바꿨을 뿐인데, 거울 속 연습 중인 내 모습이 괜찮아 보였다. 그달의 학원 모의고사에서 무려 3등을 하고 속으로 생각했다(내가 다니던 학원은 매번 모의고사가 끝나면 1~30등을 벽에 붙여뒀다).

'나 좀 괜찮네? 어차피 해피엔딩으로 가는 거 맞네?'

나는 나를 믿는 법을, 나의 장점을 인정해주고 단점조차 나 자신이라고 인정하고 끌어안는 방법을 그렇게 터득했다. 해피엔딩이라는 나만의 마음속 주문으로 말이다.

해피엔딩이 아닌 영화도 있다는 건 당연히 잘 안다. 하지만 내 인생의 영화 장르는 내가 택할 수 있다. 우울하고 음침한, 결국 슬픈 결말로 끝나는 장르에 자신을 내던지고 싶은 사람은 없을 것이다.

해피엔딩으로 가는 길이 어느 방향인지는 자기가 가장

잘 안다. 이건 인스타그램과 유튜브에서 다른 사람들과 소통할 때마다 내가 가장 강조하는 말이기도 하다.

"걱정 마, 자기야.* 어차피 결말은 해피엔딩이야. 지금 그 고통스러운 순간은 과정일 뿐이야! 내 촉 좋은 거 알지? 내 촉을 믿어줘! 우리 모두 해피엔딩으로 가고 있어!"

* 나는 채널 구독자들과 소통할 때 친밀하게 지내고 싶어 "자기들~"이라고 부른다. 책에서 자꾸만 '자기'를 찾아도 놀라지 않기를 바란다.

날마다
개그 콘테스트

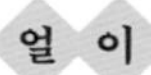

음미와 더 가까운 곳에서 지내고 싶어서 당시 음미가 살던 동네로 이사한 적이 있었다. 대학로에서 공연하던 시절에는 현관문 안쪽 방 하나가 내 몫의 공간이었지만, 그나마 생활이 나아져 온전히 원룸 하나가 내 차지였다. 이 원룸은 음미와 수많은 에피소드를 남겨주었다. 특히 이른바 '현상금 50만 원 에피소드'는 음미와 과거를 이야기할 때마다 나오는 이야기다.

데이트를 하기 위해 음미가 우리 집으로 오기로 한 어느 날이었다. 음미가 집에 오자마자 말했다.

"누가 강아지를 잃어버렸나봐!"

오는 길에 강아지 찾는 전단지를 본 음미였다. 궁금증이 생긴 내가 물었다.

"뭐라고 써 있었는데?"

"여기 주변에서 잃어버린 것 같은데… 사례금이 50만 원이래."

음미는 관심 없는 듯 강아지 생김새를 간단하게 설명했다. 하지만 내 귀엔 다른 설명이 들어오지 않았다. 오로지 사례금 50만 원이라는 말만 확 꽂혔다.

'얼마나 귀한 강아지기에… 50만 원이라니….'

하지만 그래봤자 내 돈은 아니었다. 숫자를 머리에서 지우고 음미와 밥을 먹으러 집을 나섰다.

집 앞을 약간 벗어날 때였다. 골목 끝에서 작은 검은색 강아지가 우리를 향해 와다다 하고 달려오는 게 아닌가. 마치 잃어버린 주인을 찾은 것처럼 맹렬하게 말이다. 너무 갑작스러워 어쩔 줄 몰라 하는 내 심정도 모르고 검정개는 겁도 없이 내 다리에 매달려서 바지를 핥기 시작했다.

"야야, 이거 뭐야. 너 주인 어디 있니? 주인한테 가."

놀란 음미도 마찬가지였다.

"아니 왜 그러지? 놀아달라는 건가? 근데 강아지를 막 안아도 되나?"

나는 어쩔 줄 몰라하며 내 다리에 달라붙는 강아지를 피하며 도망갔다. 그래도 따라오는 강아지를 음미와 함께 허둥대며 손으로 살짝 떼놓으려 하자, 강아지는 언제 나한테 매달렸냐는 듯 멀리 다른 사람에게 꼬리를 살랑살랑 흔들며 뛰어갔다. 그때였다, 음미의 외침이 들린 건!

"얼아! 재야! 전단지!"

정신이 번쩍 들었다! 전단지 속 그 50만 원. 아니, 그 강아지였다니!

"정말이야? 확실해?"

"얼아 정말이라니까! 검은색 맞아! 검정 강아지랬어! 재 잡아야 해."

"음미야, 확실하게 해야 해. 검은색이 맞아? 종도 맞는 거지?"

"얼아, 백.퍼.센.트. 확실해."

음미는 '백퍼센트'라는 말을 강조했다. 나는 자신 있게 50만 원을, 아니 강아지를 들어올렸다. '생활비가 생기겠다. 한 달 동안 맛있는 걸 먹을 수 있겠구나' 하는 마음이 솟아났다. 돈 때문에 했던 일말의 걱정이 다 지워지는 기분이었다. 안겨 있는 강아지가 내 얼굴을 핥아도, 옷에 흙과 강아지 털이 묻어도 상관없었다! 지금 이 순간도 애타게 기다리고 있을 반려인을(사례금도) 생각하며 강아지가 어디론가 도망가지 않게 내 품에 안았다.

내 얼굴을 핥는 귀염둥이 강아지(아니, 50만 원)와 나 그리고 음미는 전단지가 붙어 있는 골목으로 향했다. 그러나 전단지를 본 나는 좌절할 수밖에 없었다. 우선 그 50만 원… 아니 '가족 같은 강아지'는 흰색이었다. 종도 완벽하게 달랐다.

"음미야, 이게 뭐야?"

"어머? 검은색 아니었어?"

자연스럽게 손에 힘이 빠졌다. 그러자 강아지는 폴짝폴짝 뛰어 골목 바깥으로 사라졌다. 순식간에 나라 잃은 심정이 되었다.

"얼이 너 가족 같은 강아지다, 이런 건 전혀 생각도 안 하고 그냥 50만 원에 눈이 돈 것 같던데?"

"야, 내가 뭘 또 그래. 이왕이면 가족도 찾아주고 음미랑 데이트 비용도 얻고 좋은 게 좋은 거라고 생각한 거지."

그럼 이 녀석은 어디에서 온 거지? 다행히 목줄에 연락처가 있었다. 50만 원 주인공은 아니지만, 혹시나 길을 잃은 건가 싶어 전화를 걸었다. 근처 철물점 사장님이 전화를 받았다. 알고 보니 그 강아지는 동네에서 알 사람은 다 아는 유명한 강아지였다. 가게 문을 열고 키우는 터라 주변을 산책하고 이 골목 저 골목을 쏘다니며 사람들에게 열렬히 인사하는 엄청난 친화력을 가진 동네 멍멍이. 호되게 당한 기분이었다.

우리는 항상 이런 식이다. 둘이 있으면 개그 프로그램을 따로 보지 않아도 재미있고, 굳이 재미있는 일을 하자고 마음먹지 않아도 즐거운 일이 쏟아졌다. 마음 잘 맞는 음미가 있던 덕분에 나는 우울함 없이 너무 가난했던 젊은 날을 기쁘게 보낼 수 있었다.

번외편

음미랑 해변으로 놀러 갔을 때다. 모래사장을 걷고 있는데 발치에서 무언가 반짝하고 빛이 나는 게 아닌가.

"음미, 여기 동전이 있네?"

"어?"

음미는 쏜살같이 허리를 굽히고 동전을 주웠다.

"어라? 그 옆에도 있는데?"

누군가 그 자리에 누웠다가 떨어뜨린 건지 어쩐 건지 동전 몇 개가 주변에 떨어져 빛을 내고 있었다. 음미는 허리를 굽히는 데 주저하지 않았다. 이내 쭈그리고 앉아 그 주변 모래를 샅샅이 뒤졌다. 주머니가 없는 긴 원피스를 입은 음미는 손에 쥔 동전이 떨어질세라 주운 동전을 재빨리 나에게 넘겼다.

"음미야 저기, 와 저기도 있는데? 어랏, 그 뒤에도!"

나는 계속 서서 동전이 있는 곳을 알려줬다. 그렇게 몇 분 내내 뙤약볕 아래에서 동전을 줍던 음미… 처음에는 휘둥그레 눈을 뜨고 오리걸음으로 동전을 주웠는데 점점 이상하다는 걸 깨달았다.

음미가 건네주는 동전을 족족 내가 음미의 좌우, 등 뒤에 던지며 동전이 있는 데를 알려줬다. 모래사장에 있던 동전은 고작 2천 원 남짓이었는데, 그 동전을 내가 계속 던지고 음미는 줍고, 나는 다시 건네받고. 또 던지고, 줍고, 건네받으면서 음미를 놀린 것이다.

이제 거의 10년이 되어가는 이야기지만 여전히 이 이야기만 나오면 음미의 눈빛이 변한다, 아주 무섭게….

혼자 있을 때 행복한 사람이 다른 사람과 행복할 수 있다

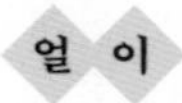

"또 게임을 한다고?"

째려보는 것도 잠시. 모니터에 열중하는 나를 두고 음미는 집을 나선다.

"그럼 난 코인 노래방 다녀올게."

깔끔. 내가 게임을 시작하면 음미는 본인이 좋아하는 취미를 즐긴다. 코인 노래방에 다녀오거나, 촬영 편집을 하거나, 친구를 만나는 식이다. 그럼 당연히 나는 게임에 몰두하며 즐거운 시간을 보낸다. 물론 둘이 딱 붙어 있어도 좋다. 하지만 이따금 따로 떨어져서 각자의 취미를 누릴 때, 더 가까워지는 기분이다.

너무 붙어 있고 싶어도 떨어져 있던 시간이 있었던 우리라 가능한 이야기일 수도 있다. 음미와 만난 지 60일 됐을 때 입대 영장이 나왔다. 입영 연기를 놓친 탓이었는데, 그게 하필이면 음미를 만난 타이밍이었다! 우리 만난 지 100일째 되는 날 입대하는 일정이라 눈물 흘릴 틈도 없었다. 곧장 음미에게 솔직하게 말했다.

"너무 미안해. 기다려달라는 말조차 꺼낼 수 없는 게 당연하겠지만… 나 음미가 기다려주면 군대에 있어도 정말 최선을 다할게. 절대 혼자 기다리고 있다는 생각 안 들게 할게!"

"…알겠어."

그렇게 스물셋, 뒤늦게 입대를 했다. 어린 친구들과 훈련을 받고, 밥을 나눠먹고, 누워 잠을 청하는데… 아뿔싸, 눈물이 흘렀다. 종일 나보다 어린 친구들을 달래고, 더 의젓한 척을 했지만 나 또한 너무 힘들었다. 속세에 두고 온 모든 것, 특히나 음미가 너무 보고 싶었다.

하지만 이때도 눈물 흘릴 틈이 없었다. 내 목표는 오로지 하나였다. 휴. 가. 사. 수! 모든 종교 행사에 참여해 세

분의 신을 모셨고, 그간 학교와 대학로를 누비며 체득한 진행 경험을 탁탁 털어 사회자를 자청했다. 휴가가 2일이든 5일이든, 속세로 가는 날 전부를 음미와 보냈다. 음미는 모를 거다. 내가 어떤 일까지 했는지….

겨울이었다. 두 달 동안 투표를 해서 스티커를 가장 많이 모은 사람에게 휴가를 준 적이 있었다. 하루하루 맡은 일을 실수 없이 해내야 할 뿐 아니라, 더 나서서 일해야만 추가 스티커를 받을 수 있었다. 휴가에 눈이 먼 나는 언제라도 나설 준비가 되어 있었지만, 이런 생각을 하는 사람은 나뿐만이 아니었다. 스티커는 영 채워질 기미를 안 보였다.

기온이 뚝 떨어진 날이었다. 플라스틱 소쿠리에 한데 모인 잔반을 음식물 쓰레기통에 버려야 하는데 음식물이 꽝꽝 얼어서 떨어지지 않았다. 다들 우왕좌왕하며 어쩔 줄 몰라 했지만 나는 딱 느꼈다.

'스티커 받을 기회다!'

다른 생각 없이 무작정 맨손으로 고춧가루와 건더기 등 모든 게 뒤섞인 그 덩어리를 쥐었다. 손에 닿은 까끌

하고 차가운 감촉이 별로였지만, 뭐 어떠랴, 스티커라는 목적이 있는데. 결국 스티커 휴가는 내 차지가 되었다.

그뿐인가. 부대 내 장기 자랑뿐만 아니라 체육대회 등 행사만 있으면 모든 진행을 도맡아 했고, 그 경력을 인정받아 1년에 한 번 지역 주민들과 함께하는 행사도 내가 진행하게 되었다.

지역 행사인만큼 군인 가족도 많이 놀러 오고 즐길 수 있었는데, 큰 행사를 진행하는 멋있는 모습을 음미에게 보여줄 수 있다는 게 좋았다. 무엇보다 축제보다 나랑 있다는 게 더 즐겁다고 말하는 음미와 함께할 수 있다는 것만으로도 행복했다.

항상 응원해주고, 기다려준 음미 덕분에 그 시절을 더 잘 보낼 수 있었다. 정해진 시간, 정해진 일을 해야 하는 군대는 음미가 없다는 걸 빼면 꽤 할 만했다. 서로에 대한 믿음과 사랑이 있었기에 가능한 일이었다.

음미는 면회를 오는 날이나 내가 휴가 나가는 날이 아니면 늘 바빴다. 언젠가 왜 그렇게 바쁘게 지냈냐고 했더니 내 덕분이라고 했다.

"얼아, 나는 네가 21개월 뒤에 돌아왔을 때 더 멋져진 나를 보여주고 싶어. 너 없는 시간 동안 나를 발전시키는 시간을 가질 거라고 마음먹었거든. 개인 레슨에, 알바에, 오디션 도전까지… 네가 제대할 때 내가 그대로면 정말 창피할 것 같아."

음미는 그 흔한 '곰신 카페'도 탈퇴했다고 했다.

"거기 있는 글들 읽으면 나도 어느 시기에 무조건 헤어질 것 같았다니까. 난 아닌데 자꾸 그런 거 보니까 신경 쓰여서 탈퇴했어."

음미가 가장 강조하는 말이 있다.

"혼자 있을 때 행복한 사람이 둘이 있을 때도 행복할 수 있어!"

맞는 말이다. 혼자 있는 게 외롭고 무언가 부족하다고 느끼면 자꾸만 상대에게 바라게 된다. 마음이든 행동이든. 우리가 장기 연애 커플로 결혼까지 할 수 있었던 이유, 짧은 시간 만나고 군 입대로 떨어져 있었지만 믿음이 깨지지 않았던 이유는 특별한 게 아니었다.

우선 자신을 사랑할 것, 내가 하는 일을 사랑할 것. 그런 다음 상대의 마음을 잘 헤아릴 것.

우리는 그 사실을 잘 알았고, 함께 행복할 방법을 택했다.

번외편

군대에 있을 때다. 1년에 한 번 지역 주민들과 함께하는 행사 날이었다. 지역 주민과 군인 가족들까지 많은 사람과 함께 다양한 먹거리와 볼거리를 즐길 수 있었다.

"음미야, 나 부대 배치 잘 받은 것 같아. 행사 때문에 이렇게 같이 있을 수 있어서 좋다. 축제도 꽤 재미있고."

"축제가 정말 너무 재미있어! 그래도 난 너만 있으면 돼. 너랑 같이 있다는 게 가장 좋아."

그렇게 음미와 축제를 돌며 데이트를 하던 중 잠깐 음미가 좋아할 만한 간식거리를 사러 다녀왔는데 음미가 사라져 있었다. 많은 인파를 헤치고 헤매다 한 부스 앞에서 겨우 음미를 찾을 수 있었다.

알고 보니 같은 부대에 복무하던 배우 유승호의 사인회가 있었는데, 음미가 그 앞에 너무나도 야무지게 줄을 서서 기다리고 있는 게 아닌가. 방금까지 축제는 됐고 나랑 있어서 좋다던 음미였는데….

내 기분과
마음에 솔직해지기

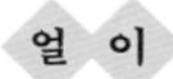

자신이 원하지 않는 기분에 휘둘려서 발만 동동 구를 때가 있을 것이다. 우울하거나 화가 나거나 슬프거나 하는 부정적인 감정이 삶에 결코 좋은 영향을 미치지 않는다는 걸 알면서도 우리는 쉽게 나쁜 감정으로 걸어 들어간다. 이럴 때 기분을 전환하는 방법만 알아도 꽤 쉽게 마음을 평화롭게 만들 수 있다.

사실 나는 우울함이 밀려올 때마다 그 일을 해결하려고 노력하지 않는 편이다. 그냥 그 기분을 내버려둠으로써 우울함이 지쳐 사라질 때까지 기다린다. 이런 내 이야기를 들으면 음미뿐만 아니라 친구들도 “어떻게 그럴 수 있어?" 하고 놀라곤 한다. 나 또한 막막한 상황 앞에서 흔들린 적은 있었다. 하지만 우울함에 매달릴수록 좋은 관계마저 망칠 수 있다는 걸 깨닫고는 우울한 기분을 내버려두기로 했다.

주변에서 평온한 사람으로 알고 있는 나도 미래를 생각하면 막막함이 밀려오던 때가 있었다. 거듭되는 개그맨 공채 탈락. 제대로 된 수입을 보장받을 수 없는 대학로 공연과 당장의 생활비만 버는 수준의 사회자 일은 결코 안정적인 직업이라곤 할 수 없었다.

꿈을 위해 이것저것 배우고 노력하면서도, 당장의 결과로 나오는 것은 없었다. 그러다 보면 '내가 지금 이걸 왜 하고 있지' 하는 생각이 들 때도 많았다. 한번 막막함에 빠져들기 시작하니 끝이 없었고, 고민하느라 하루하루를 낭비하기도 했다.

'이 일을 언제까지 할 수 있을까. 개그맨 시험은 언제 합격할 수 있을까. 시험을 포기하면 내가 할 수 있는 일이 있을까? 지금까지 내가 이루어놓은 게 뭐가 있을까?'

고민을 거듭할수록 더 불안해졌다. 음미와의 결혼을

생각하면 불확실한 미래에 대한 고민에 더 매달리게 되었다.

'내 불안한 미래를 음미에게 탁 터놓고 이야기해도 괜찮을까? 음미와 결혼하고 싶은데, 내 미래가 불안하다고 말하면 실망하지 않을까?'

고민이 반복되는 사이 우리의 연애에 빨간불이 켜졌다. 마음에 늘 격한 파도가 치고 있으니 별거 아닌 작은 일로 티격태격할 수밖에! 그런데 이게 또 완벽한 싸움도 아니니 누구 하나 사과할 일도, 화해를 제안할 일도 아니었다. 부정적인 나를 견디고 위태로운 시기를 흐지부지 보내던 중 언젠가 음미가 말했다.

"왜 갑자기 매사 예민하게 구는 건데?"

음미가 단단히 화를 내자 정신이 번뜩 들었다. 부정적인 상황과 마음이 앞선 나머지 음미의 마음은 전혀 생각하지 않은 탓이었다. 새까맣게 타 들어가는 내 속 때문에 음미의 마음까지 홀라당 태워버릴 뻔했다.

창피를 당하더라도 음미에게 내 마음을 그대로 내보이기로 했다. 사실은 많이 불안하다고. 현실이 중요하지만,

내 꿈이 사라진 느낌이라고 속마음을 털어놨다. 내 이야기를 들은 음미가 말했다.

"맞아, 지금 충분히 그럴 수 있어. 근데 얼아, 나랑 사귀기 시작할 때 했던 말 기억나?"

음미는 내 마음을 무시하지도, 그렇다고 너무 진지하거나 심각하지 않은 채 편안하게 말을 이었다.

"너 나한테 그랬어, 떡볶이 장사를 해도 주변에서 가장 웃긴 떡볶이집으로 소문나게 해서 성공할 수 있다고. 난 정말 네 자신감이 너무 대단하다고 생각했어. 그때 그 마음 잊은 거야?"

음미에게 그런 말을 했던 상황이 기억났다. 지금과 크게 다르지 않았던 상황이었고, 그땐 사회자 일조차 없었으니 수입도 훨씬 적었던 때였다. 그런데 그때의 마음은 사라지고 괜한 걱정에 휩싸여 조마조마해했다. 음미 덕분에 깨닫게 되었다.

'맞아, 나 그런 사람이었지?'

개그맨 공채를 준비하고 대학로 공연을 오르던 때, 미래가 불투명하다는 걸 알면서도 불안해하지는 않았다.

오히려 자신감이 있었다. 불안이 잠깐씩 밀려올 때도 어디에서 무얼 하든 난 잘될 거라는 확신이 있었다. 동네에서 자그마한 떡볶이 장사를 하더라도 동네에서 가장 인기 있는 가게로 만들 수 있을 거라는, 그런 자신감 말이다.

부정적인 생각은 순식간에 우리를 평소와 다른 사람으로 만든다. 대부분이 더 안 좋은 쪽으로 바뀐다는 게 문제다. 나는 괜한 걱정을 앞세우며 가장 소중한 관계마저 망칠 뻔했다.

막막함이 밀려올 때, 온갖 걱정에 정신을 못차릴 때 우선 자기 마음에 솔직해지는 건 어떨까?

자기 자신에게만큼은 솔직하게 언제, 무엇이, 누구 때문에 힘든지 밝히다 보면 알게 된다. 지금 쓸데없는 걱정에 시간과 에너지를 쏟고 있다는 걸 말이다. 내 힘으로 바꿀 수 있는 거라면 행동하면 되고, 못 바꿀 상황이라면 나중을 기약하면 될 일이다.

조용히 행복을 불러오는 법

얼 이

개그맨이 되기 위해 시간을 보낼 땐 사실 두려움이 없었다. 무엇이 되고 싶고 어떤 일을 하고 싶은지가 너무 명확하고 구체적이라서 단 한 가지 꿈만 생각하고 달리면 됐다. 중학교 때부터 변함없이 지킨 개그맨이 되는 꿈을 남들보다 조금 늦더라도 이루고 말 거라는 확신이 늘 가슴에 차 있었다.

하지만 개그 프로그램의 폐지와 코로나로 인한 공연 제한, 그와 더불어 따로 하던 사회자 일도 끊어지자 불안함이 한도 초과로 증폭됐다. 그렇지만 꿈의 힘은 내가 가늠한 것보다 세다. 모든 게 막힌 순간에도 나는 언젠가는 꿈을 이루게 될 거라는 믿음을 의심하지 않았다.

그러다 '얼미부부'를 시작하게 됐다. 내가 꿈꾸던 일을 개그맨 공채와 공연이라는 곳을 통과하지 않고도 할 수 있게 된 것이다. 공채에 합격하지 않아도, 티브이에 나오지 않아도 '남을 웃기는 사람'이 될 수 있다는 게 마냥 좋기만 했다.

사실 음미와 나는 조금 가벼운 마음으로 시작했다. '시작만 해도 절반은 성공'이라는 유튜브 시장에 출사표부터 던졌다(모두가 시작은 안 하고 입으로만 한다고 하니까 시작이 반인 곳이었다). 그런 마음으로 시작하고 반응을 살폈는데, 초반 영상부터 구독자들의 반응이 심상치 않았다. 영상이 몇 개 쌓이기도 전에, 여기저기에서 '웃긴 신혼부부'라는 키워드로 영상이 퍼져 나갔다.

얼떨떨한 마음 한편으로 더 많은 사람을 웃겨야겠다는 다짐이 솟구쳤다. 내가 더 잘할 수 있는 것, 사람들이 좋아하고 웃을 수 있는 것을 생각하기 바빴다. 영상을 올리고 반응을 보고 무엇을 찍을지 가열차게 고민하던 어느 날 마음을 짓누르는 고민이 생겨났다.

'앞으로 내가 더 할 수 있는 건 어떤 게 있을까?'

재미있는 사람이 되고 싶었고 충분히 재미있다는 반응을 듣고 있었지만, 마음이 조급해졌다.

'그다음 영상에서, 또 그다음 영상에서도 좋은 반응을 얻을 수 있을까?'

사람들이 우리 영상을 좋아했던 이유는 단순했다. 보통의 사람들과 엄청나게 다른 일상을 누리거나, 무척이나 대단한 삶을 사는 게 아닌, 평범한 하루를 누리고 그 안에서 터지는 개그 코드였다.

그런데 어느 순간부터 마음에 부담이 생기기 시작하자 이토록 분명하고 단순한 이유들이 보이지 않았다. 마음의 무게는 쉽게 덜어지지 않았다. 음미와 영상을 한 편 찍고 나서도 계속 고민했다.

"사람들이 재미있어할까?"

"아냐, 이건 재미없는 것 같아. 반응도 별로일 거야."

좋아하는 일을 마음껏 할 수 있게 됐는데도 압박감 때문에 좀처럼 처음과 같은 행복을 느낄 수 없었다. 우리가 쥐고 있는 게 너무 소중해서 손가락 사이로 빠져나갈 것만 같았다.

그러던 어느 날, 우리 결혼식에서 축가를 불러주고 늘 우리 채널을 응원해주는 가수 린 누나의 콘서트를 보러 가게 됐다. 가만히 앉아 누나의 노래를 듣고 있는데 문득 아무 생각 없이 행복하다는 기분이 들었다. 린 누나는 콘서트 중간에 "오늘 제가 너무 좋아하는 얼미부부라는 친구들이 왔어요. 집 가는 길에 찾아보세요"라며 우리를 언급해주기도 했다.

'아, 맞다. 우리 지금 예전에는 꿈도 못 꾸던 행복을 누리고 있었지!'

내 마음을 짓누르던 압박감이 순식간에 사라지는 것 같았다. 콘서트장을 빠져나오며 음미에게 말했다.

"우리 둘이 지금 되게 행복한 거야. 우리가 엄청 좋아하는 린 누나 콘서트 오게 된 것도 너무 행복한 일이고, 우리가 너무 좋아하는 린 누나가 우리를 안다는 것도 감사한 일이잖아."

김우빈 배우를 형이라고 부를 수 있는 인연 또한 그러했다. 넷플릭스 행사장에 초대받고, 따로 함께 밥을 먹은 일, 길을 가다가도 갑자기 우리를 알아보며 사진을 찍자고 하는 사람들, 그저 함께 인사만 나누어도 환하게 웃어주는 구독자들까지. 예전에는 감히 상상조차 할 수 없었던 일이다.

그러면서 깨달았다. 그냥 가만히 있어도 행복할 일은 충분한데, 다른 행복을 계속 불러오려는 욕심에 지금의 행복을 놓치고 있다는 것을 말이다.

이제는 과거의 불안과 압박이 깔끔하게 사라졌다. 지금 우리 머리 위에 있는 하늘이 굉장히 맑고 푸른데, 스스로 먹구름을 불러와서 맑은 날을 보지 못하는 건 아닐까? 전혀 그럴 필요가 없는데 말이다.

아직은 더 많은 경험이 앞에 놓여 있다는 기대만으로도 충분히 기분 좋은 오늘을 누리고 있다. 우리는 이따금 코앞에 있는 행복을 보지 못한 채 길을 헤매며 애써 나쁜 일을 찾는다. 행복은 멀리 있지 않다. 없는 것을 보이지 않는 곳에서 찾으려 하면 할수록 지금의 행복은 옅어지고 사라질 뿐이다. 오늘을 충실하게 살다 보면 잘될 것이라는 믿음으로 행복을 누리기를 바란다.

♦ 막간 에피소드 1 ♦

음미에게 멋있는 사람으로 보이고 싶어서 이렇게 말한 적이 있다.

"나는 무대에서 죽을 거야!"

내 일을 사랑하고 내 일에 최선을 다하는 사람이라는 걸 보여주고 싶어서 목숨마저 무대에 내놓겠다는 열정을 드러낸 것이다.

음미는 아직도 이 말을 기억한다.

그래서 그런지 부부싸움을 하면 집에 갑자기 무대를 설치한다.

행복 레벨업

기쁨을 코앞에서 찾는 5가지 방법

1. '쏘주' 만지고 냄새 맡기
2. 좋아하는 사람들 만나서 술, 커피 마시기
3. 코인 노래방 가서 노래 부르기
4. 뜬금없이 운동화 갈아 신고 산책 나서기
5. 야구 보기

기쁨이 별거인가? 주변에 있는 사람을 자주 만나고, 날이 좋으면 바깥을 거닐고, 내가 좋아하는 스포츠 경기 보면서 하루를 보내면 됐지, 뭐.

매번 우울하고 짜증 나고 힘든 일만 있는 것 같지만, 주변의 소소한 일들이 하나하나 쌓이면 그게 행복이 된다!

자기들의 이야기

행복도
마일리지처럼

세상에는 나를 무너뜨리는 나쁜 일이 너무나도 많지만, 반대로 그 늪에서 나를 끌어올리는 기쁜 일도 충분히 많다는 사실을 기억하자. 근래 먹은 음식, 영화, 갑자기 벌어진 기쁜 일들이 결국에는 온전한 나로 살아가게 하는 힘이 되기 마련이다.

①

②

③

④

⑤

여백 페이지에 근래 있었던 기쁜 일들을 써보자. 그 일들을 되새기면서 앞으로도 더 행복하게, 아니 기쁘고 평화롭게 나 자신을 데리고 잘 살아보자!

벌써 다섯 가지 행복이 쌓였다.

2부 인생에 비구름이 들이닥쳐도 언젠가 결국 걷히기 마련이다

소중한 사람을 잃었습니다

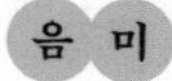

열한 살. 내 기억에서 가장 깊은 슬픔을 겪은 나이이자, 평생을 통틀어 지울 수 없는 일이 일어난 때다. 아빠가 갑작스럽게 우리 가족 곁을 떠나버렸다. 어느 날 허리가 아프다며 병원에 간 아빠는 췌장암 말기 진단을 받았고 얼마 지나지 않아 돌아가시고 말았다. 모든 것이 꿈이기를 간절하게 바라고 바랐지만, 현실은 뒤바뀌지 않았다.

아빠는 매번 새로운 풍경을 선물해주는 분이었다. 봄에는 산으로, 여름에는 바다로, 가을엔 에버랜드, 겨울엔 설악산에서 함께 시간을 보내는 게 우리 가족의 한 해 행사였다. 그 행사를 계획하고 앞장서는 건 언제나 아빠였다. 비싼 여행지를 누비거나 남들보다 풍족한 일상을 누린 적은 없었지만, 가족이 함께 시간을 보내는 화목함만큼은 어느 누구도 부럽지 않았다.

아빠의 병이 깊어져 병원에 입원했을 때 엄마를 따라 병원에 자주 갔다. 면회를 갈 때마다 내가 하던 일은 아빠를 더 들여다보는 게 아니었다. 병원 화장실에서 진심을 다해 기도하는 것, 그게 어린 내가 할 수 있는 최선의 일이었다. 어린 마음에 내 간절한 마음을 누군가에게 들키고 싶지 않아 화장실에서 눈을 꾹 감고 두 손을 모았다.

'제발 아빠 병이 얼른 낫게 해주세요. 그럼 제가 뭐든 다 할게요.'

세상 모든 신에게 간절하게 바라고 바랐다. 하지만 아빠 몸의 암은 빠르게 이곳저곳으로 옮겨갔고, 입원한 지 얼마 되지 않아 중환자실로 옮기게 되었다.

면회 시간에 아빠를 만나러 가면 눈인사를 하기는커녕 주삿바늘이 꽂히는 아빠만 보게 됐다. 더 이상 주사 놓을 곳이 없어 정강이에까지 주삿바늘이 꽂히는 걸 봤을 때는 너무 속상한 마음에 얼마나 울었는지 모른다. 그럴 때마다 나는 화장실로 가서 거듭 기도했다.

하지만 하늘은 내 기도를 들어주지 않았다. 아빠는 바로 그해 돌아가셨다.

'왜 나한테 이런 일이 일어났을까?'

아빠가 돌아가신 뒤 가장 먼저 든 생각이었다. 하늘이 원망스럽다는 기분을 너무 어린 나이에 느끼고 말았다. 사람들은 나에게 슬픔이 곧 지나갈 거라고, 일상이 되돌아올 거라고 말했다. 하지만 겨우 열한 살, 세상일을 채 알지 못하는 나에겐 너무 버거운 이별이었다.

아빠의 죽음으로 집안 분위기도 바뀔 수밖에 없었다. 엄마는 가장이 되어 슈퍼우먼이 되어야만 했고, 가족끼리 매해 누리던 풍경은 사라질 수밖에 없었다.

나는 십 대를 통과하는 내내 밤마다 울었다. 학교에서 친구들과 재미있게 놀고, 동아리 활동을 하고, 맛있는 떡볶이를 먹고 돌아와 참 재미있었던 하루를 되새기면서도 누우면 눈물이 쏟아졌다. 밤마다 돌아가신 아빠를 생각하고 눈물을 쏟아내는 게 내 평생의 숙제일 것만 같았다.

얼이는 평소 장난기 많은 모습을 보이다가도 어느 순간 진지하게 자기의 미래와 꿈, 여러 이야기를 풀어놓기 일쑤였다. 얼이는 만난 지 얼마 안 됐을 때, 어릴 때 부모님이 이혼하고 힘들었던 일을 나에게 털어놓았다. 가족 누군가와 헤어져 살아야 했던 상황이 나와 비슷하게 느껴졌다.

나는 아빠만 떠올리면 몸을 가눌 수 없을 만큼 큰 슬픔이 차올랐었다. 다른 사람들은 절대 알 수 없는 비극이 나에게만 벌어진 것 같았고, 누군가 심장을 콕콕 찌르는 느낌이 들었다. 눈물 버튼이었다. 그래서 아빠 이야기를 단 한 번도, 친한 친구에게조차 털어놓은 적이 없었다.

그런데 얼이는 자신이 힘들었던 상황을 간간히 유머를 섞으며 가볍게 묘사했다. 덤덤하게 말을 이어가는 얼이를 보자 이상한 감정이 들었다. 나는 처음으로 아빠의 죽음을 편안하게 이야기할 수 있었다.

"난 아빠가 돌아가신 이후로 한 번도 울지 않고 잠든 적이 없어."

얼이 또한 자기의 슬픔이 티가 나지 않도록 꾸욱 참았던 날이 있다고 했다. 우리 둘 다 억지로 더 밝은 척 지내고 있다는 사실을 처음으로 알게 됐다. 너무 참아서 풀어지지 못한 채 화석처럼 단단하게 굳은 내 마음을 그날 얼이와 풀어냈다. 이별에 대해, 가족에 대해 더 많은 이야기와 감정을 나눌 수 있었다.

처음이었다. 내가 온전히 받아들일 수 없었던 이 슬픔이 꼭 나에게만 벌어지는 건 아니라는 생각이 들었다. 얼이의 고백이 큰 위안으로 다가왔다. 타인의 불행을 디딤돌 삼아 내 어두운 감정에서 탈출할 수 있었다고 말하는 게 아니다. 누구에게나 슬픔은 오고 그게 바로 인생이라는 것, 힘들고 슬펐던 일을 꺼내놓아야 비로소 마음이 편안해지는 순간이 온다는 걸 깨달았다.

세상에는 우리의 의지와 다르게 흘러가는 일이 너무 많다. 우리 아빠의 죽음, 얼이 부모님의 이혼 또한 그렇다. 각자 슬픔을 받아들이는 태도는 너무나도 다르고, 그래서 혼자 견디다가 더 속이 문드러지는 사람도 있다. 나는 슬픔을 공감할 수 있는 진정한 친구를 만나 더 편안하게 풀어냄으로써 슬픔의 무게를 조금씩 덜어냈다.

우리 둘 다 다시는 겪고 싶지 않은 이별의 중심에 있었지만 그로 인해 얻은 마음이 있었다. 소중한 사람을 잃은 경험을 통해 각자의 인생에서 더 중요한 사람이 누구인지, 앞서 생각해야 하는 존재가 누구인지 알게 됐다.

그래서 얼이와의 만남이 더 소중해지는 걸 느꼈고 우리의 관계는 더 가까워졌다. 우리는 서로의 마음을 토닥이는 사이가 되었다.

나에게만 벌어지는 슬픔이라 여기면 우리는 쉽게 우울해지고 앞으로 나아갈 수 없게 된다. 그뿐만 아니라 타인의 슬픔에는 무관심해진다. 자기 품에 다 들어오지 않는 슬픔을 잔뜩 껴안은 탓이다.

연인과 헤어진 사람, 소중한 이를 잃은 사람… 모두 슬픔을 어떻게 처리할지 몰라 전전긍긍하기 쉽다. 하지만 슬픔은 그대로 받아들이는 게 중요하다. 나는 여전히 아빠가 보고 싶다. 그럴 때마다 편안하게 아빠를 떠올리고 생각한다. 다만 무작정 그리워하지 않는다.

내 나이 열한 살에 여전히 머물러 있는 아빠는 무척이나 젊고, 여전히 자상하다. 당장이라도 따듯한 품에 나를 안아줄 존재지만, 현실에만 없을 뿐이다.

아빠는 나와 함께 이 지구별을 여행한 동반자였고, 나보다 조금 더 이르게 집으로 돌아간 것뿐이다.

이렇게 생각하면 마음이 한결 편안해진다. 언젠가 내가 집으로 돌아갈 때, 내 기억 속 다정한 아빠가 날 기다리고 있다는 걸 알기 때문이다.

우울한 현실, 슬픈 마음도 개그로 이기기

20에 20. 내가 살았던 집의 보증금과 월세다. 대학로 근처 산 중턱에 있는 다세대 주택 중 한 가구, 그리고 그 안에 달린 방 세 개 중 가장 작은 방 하나. 각 방에 사는 사람들은 서로 누구인지도 모른 채 조용히 문을 넘나드는 곳이었다.

동기와 함께 지낸 그 집은 한 명은 옷 거치대 아래 머리를 넣고, 한 명은 책상 아래 머리를 넣을 수밖에 없을 정도로 좁디좁았다. 하지만 그런 환경 때문에 스트레스를 받거나 우울할 틈은 없었다. 그저 내가 꿈에 도달하기 전 지나쳐야 하는 관문이라고 여겼다.

그렇게 좁디좁은 방에도 계약 기간은 있었다. 우리는 계약이 끝나고 상황이 여의찮으면 또 동네 언덕을 넘나들며 비슷한 가격의 비슷한 집에 몸을 구겨 넣었다. 누군가 보면 너무 우울하고 슬프다고 생각했을 현실이었지만 나와 동기는 항상 웃었다.

"야, 그래도 여기가 낫다. 적어도 바퀴벌레는 없잖아."
"그러게, 왜 바퀴벌레가 없지?"
"인마, 여긴 먹을 게 없잖아."

그러고는 푸하하 웃어버리면 그날의 배고픔도, 좁은 방도 슬프지 않았다. 오히려 개그맨 공채를 준비하는 우리에겐 모든 게 귀한 개그 소재였다. '아, 오늘 일어난 에피소드에는 어떤 양념을 쳐서 써먹지?'라며 사건과 생각을 연결해 노트에 적어놓기까지 했다. 매일 마음 편히 웃을 수 있는 이유였다.

물론 안다. 살아가다 보면 아무리 노력해도 가릴 수 없는 슬픔의 순간도 있다. 나에겐 중학교 시절 부모님의 이혼이 그런 순간이었다. 편부모 가정이 흔하다 해도 그 일을 겪어본 사람이 아니면 모른다.

사실 부모님이 헤어지는 것보다 더 힘든 건 이혼이 결정나기 전 집안의 분위기다. 집안을 가득 채운 차가운 분위기, 어쩌다 대화가 오가면 고성이 오가는 순간들, 내 집 같지 않아서 눈치만 보게 되는 상황까지….

어린 나이에 우울이라는 감정이 무엇인지도 모른 채 우울함에 휩싸였다. 멍하게 밥을 먹고 학교를 오갔고 멍하게 티브이를 보는 게 전부였다. 그 무엇에도 흥미를 느낄 수 없었다.

그러던 어느 날 집안의 적막을 깨는 소리가 났다. 바로 내가 낸 웃음소리였다.

'아니, 지금 상황에 웃음이 나온다고?'

티브이에는 <개그콘서트>가 방영되고 있었다. 멍하니 티브이를 보다가 장면 하나에 와하하 하고 웃음이 터진 거였다. 무방비 상태의 나를 웃게 한 건 개그 프로그램이었다. 그런데 신기했다. 그저 웃었을 뿐인데 기분이 나아졌다.

'저 사람들, 뭐 하는 사람들이지?'

우울함도 순식간에 없애주는 일이 너무 멋있게 느껴졌다. 개그맨이 되고 싶다는 꿈은 그때의 웃음 한 번으로 시작됐다.

개그맨 도전기는 정말이지 쉽지 않았다. 하지만 어린 시절 쉽게 툭 하고 터졌던 그 웃음의 순간이 기억나 결코 포기할 수 없었다. 다사다난했던 도전기를 수도 없이 거쳤지만 결국 개그맨 공채의 꿈을 이루지 못했다.

그래서 마음이 아팠냐고? 아니, 절대. 20에 20도 버거웠지만 함께 꿈을 이루려던 친구들과 함께 지냈던 그 시간은 죽을 때까지 잊을 수 없는 순간으로 마음에 새겨져 있다. 그것만으로도 잃은 게 없는 도전이었다.

여전히 떠오르는 기억이 있다.

함께 개그맨 공채를 준비하며 대학로 공연을 함께하는 친구들과 늘 즐겨 먹던 특식은 편의점 메뉴였다. 각종 도시락과 분식을 밤늦은 시간에도 쉽게 먹을 수 있다는 장점도 있었지만, 저렴하다는 점이 주머니가 가벼운 우리에게 가장 큰 매력으로 다가왔다.

그날도 마찬가지였다. 노상에 있는 파라솔 아래에서

삼각김밥과 컵라면을 먹으며 간단하게 배를 채우고 그날 짠 대본을 친구들과 맞추며 연습을 하고 있었다.

그런데 갑자기 옆자리에서 누군가가 큰 소리로 웃으며 박수를 치는 게 아닌가. 편의점 옆에 있는 식당 노상 자리에서 들리는 소리였다. 고개를 돌려보니 50대쯤 되어 보이던 식사 중인 남자 몇몇이 우리를 지켜보고 있었다. 심지어 너무 잘 봤다며 메뉴를 더 시켜 우리 테이블로 전달해줬다(정말 감사하게도 메뉴는 고기였다). 배가 고프고 응원이 고팠던 젊은 우리는 그 길 한복판에서 짧은 공연을 선보였다.

그 이후로 편의점에서 밥을 먹으면 괜히 음식점 옆을 흘깃거리며 그분들이 있는지 유심히 살폈던 기억이 난다. 아직도 나는 당시 친구들과 술을 마시면 그 아저씨들을 찾고 싶다는 농담을 하고는 한다.

꽤 우울하고 슬픈 공채 도전기의 연속이었지만 괜찮았다. 당장 돈을 못 벌고 먹고 싶은 걸 못 먹어도, 좁은 방에서 친구와 함께 끼어 잘 수밖에 없어도 참을 수 있었다. 함께 길 한복판에서라도 개그를 선보이는 친구들이 있었고, 어쩌다 우연히 마주친 사람들의 응원과 재미있다는 반응이 내 심장을 뛰게 했다.

나에게 공채 탈락은 그저 결과일 뿐이었다. 그 과정에서 나는 늘 행복했고, 그 행복한 기억의 힘으로 오늘을 보내고 있다.

인생이 공허할 때

삶은 정말이지 어렵고 막막한 숙제를 쉴 새 없이 내준다. 매번 마주하는 숙제를 풀다 보면 인생이 재미없고 공허하게 느껴지기도 한다. 나에게 자주 오는 질문 또한 이러한 내용이다. 일, 연애, 관계, 꿈 등 모든 것이 쉽지 않다고, 인생의 의미를 잃은 것 같다고. 공허함을 어떻게든 없애려고 애쓰지만 쉽지 않다고 말한다.

나 또한 그런 적이 있다. 내 꿈이 흐려질 때, 공허함이 내 안에 들어찰 때마다 무엇을 채워 넣어야 할지 고민했고 때로는 시행착오도 있었다.

이십 대 시절 공연 일만으로는 생계를 이어 나가기 어려웠던 당시 유명 주유소 브랜드의 홍보 행사 아르바이트를 시작하게 됐다. 전국 주유소를 찾아가 이틀 정도 머무르며 주유소 방문 고객에게 선물을 증정하고 지나가는 차를 향해 모객을 하는 일이었다.

모르는 사람에게 쉽게 말을 거는 극외향인인 나는 그 일이 어렵지 않았다. 게다가 전국 팔도를 돌아다니며 맛집을 찾아다니는 재미가 있어 1년 넘게 공연과 병행했다.

그러던 어느 날이었다. 배정받고 찾아간 주유소 사장님이 내가 최선을 다해 행사를 진행하는 걸 보고는 제안을 했다. 자기가 소유한 여러 주유소에서 고정으로 행사를 진행해줄 수 있느냐는 스카우트 제의였다. 그러면서 제안해준 금액 또한 괜찮았다.

나의 능력을 인정해주는 사람의 스카우트 제의, 안정적인 직업과 월급. 내 꿈을 생각하면 당연히 거절해야 하는 일이었지만, 끌리는 제안이었다. 꿈이 언젠가 이루어질 거라는 확신이 있었지만 한 해 한 해 지나갈수록 힘들고 지치는 게 사실이었다. 무엇보다 나도 여느 또래들처럼 회사원이 되고 싶었다. 그간 내색하진 않았지만 이십 대 후반 대부분이 다니는 직장과 따박따박 들어오는 월급의 세계가 궁금했다. 타인이 정한 수순대로 살지 않는 나를 이상하게 쳐다보는 남들 시선 또한 신경 쓰였다.

하던 공연도 마지막 회차가 될 무렵이라 자신 있게 직장인의 길을 택했다. 초반 몇 주 동안은 새로운 일을 한다는 설렘과 안정적인 수입이 들어온다는 기대만으로도 만족했다. 하지만 그것도 잠시. 이십 대 중반까지 살면서 처음으로 인생이 재미없다는 느낌이 들었다. 말 그대로 마음 한쪽이 헛헛하고 공허했다. 그 이유를 단번에 알아차릴 수 있었다.

'아, 이 일은 내가 진짜로 원하는 일이 아니구나.'

마음의 헛헛함은 내가 진짜 원하는 일, 잘하고 싶은 일을 택할 때 없어진다는 것을 깨달았다. 나에게 오는 수많은 사람의 '공허하다'는 메시지를 봐도 그렇다. 하고 싶지 않은 일을 선택하고 강요당했을 때, 마음이 공허하고 아무 재미도 못 느낀다는 내용이 많다.

그럴 때 나는 단순하게 생각한다.

"공허해? 그럼 채워 넣으면 되잖아!"

이때 중요한 건 나에게 알맞은 것들을 채우는 것이다. 내가 원하는 것이 아닌, 세상의 잣대, 타인의 시선에 맞춰 채운다면 공허함은 사라지지 않는다.

나도 안다. 현실적으로 내가 원하는 일을 할 수 없는 상황이 많다. 하지만 내 인생의 선택권은 오로지 나에게 있다는 사실을 계속 떠올려야 한다. 잘못된 선택을 했다면 나처럼 용기 있게 되돌리면 된다. 그렇게 들어간 회사를 그만두면 뭔가 큰일이 날 것 같았지만, 전혀 아니었다. 오히려 마음이 너무 홀가분해졌다.

물론 어쩔 수 없이 선택조차 못 하게 되는 경우도 있다. 가수가 되고 싶었지만 녹록지 않은 상황으로 꿈이 이루어지지 않았던 것처럼 내 의지와 선택만으로는 이루기 어려운 일도 있다. 그럴 땐 일상에 상상력을 발휘해서 꿈을 이룬 기분을 느끼는 것도 방법이다.

가수가 꿈이었던 나는 오디션에서 매번 떨어져서 답답했지만, 늘 가수가 되면 어떤 감정과 기분일지를 떠올렸다. 가만히 앉아 떠올리는 건 쉽지 않으니 그 기분을 누리기 위해 얼이와 함께 코인 노래방에 가곤 했다. 코인 노래방에서 영상을 찍으면서 노래를 부르면, 얼이는 진정한 팬답게 최고의 리액션을 해주었다. 진짜 가수가 된 건 아니지만, 내가 미치도록 되고 싶은 가수가 된 것처럼 상상하는 것만으로도 기분이 좋아졌다.

이렇게 되찾은 좋은 기분은 내 삶의 또 다른 원동력과 시작점이 될 수도 있다. 경험상 그런 벅찬 기분, 좋은 기분을 채운 뒤 떠올리는 생각과 아이디어는 늘 좋았다. 내가 좋아하는 걸 하다 보면 공허함은 사라지고 마음이 든든하게 채워진다.

왜 공허한지 모르겠다면 지나간 시간을 떠올려보자. 어쩌면 나다운 선택을 하지 못해서, 나답게 살지 못해서 공허한 게 아닐까? 이 페이지를 넘기기 전에 자신이 진짜 좋아하는 것, 끌리는 것, 했을 때 기분 좋아지는 게 무엇인지 잠깐 시간을 갖고 생각해보면 좋겠다. 그걸 떠올리는 것만으로도 공허함은 사라지고 기분은 백 배 더 좋아질지 모른다.

생각을 바꾸는 가장 간단한 방법

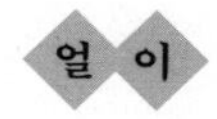

탁 하고 발목을 잡는 것 같은 고민이 인생에 끼어들 때가 있다. 일과 인간관계를 막론하고 쏟아지는 문제에 어떻게 대처해야 할지 몰라 노심초사한 적이 나에게만 있는 건 아닐 것이다. 곰곰이 생각하면 별거 아닌 일인데도 갑자기 물에 풍덩 빠진 사람처럼 해결할 수 없는 문제에 빠져 허우적댄다.

유튜브를 시작하고 일 때문에 크게 신경 쓸 일이 있어서 그 문제만 생각하던 때가 있었다. 갑자기 떠오르는 그 생각 때문에 몹시 스트레스를 받았다. 음미랑 맛있게 밥을 먹다가도, 우리 집 고양이 '쏘주'와 놀아주다가도 불현

듯 걱정에 휩싸이곤 했다.

샤워를 하면서도 문득 그 문제와 연결된 얼굴이 떠오르고 당시의 상황이 생각나는 통에 한숨을 몇 번이나 쉬었는지 모른다.

'하… 어떻게 하는게 좋을… 까.'

머릿속이 어지러워서 어떻게 씻고 옷을 입었는지도 모른 채 욕실에서 나오는데….

"아아악!!!"

음미가 장난을 친다고 나 몰래 방문 뒤에 숨어서 놀래킨 것이다. 무방비 상태에서, 마음속 생각을 다 말하기도 전에 맞닥뜨린 상황에… 놀란 것도 잠시였다. 상황이 너무 웃겨서 푸하하하 웃음이 터져버렸다.

당황하다 웃음을 터뜨린 내 반응이 재미있었는지 음미도 깔깔깔 배를 잡고 웃었다. 그렇게 한바탕 웃고 나니 정말 신기하게도 내 머릿속에서 헤엄치고 있던 잡념과 고민, 불안이 싹 사라졌다.

깜짝 놀란 채 주변을 맴도는 쏘주와 계속 이를 내보이고 웃는 우리 둘. 분명 내 상황은 엄청나게 시끄러운 상황인데도 마음은 이상하리만큼 차분해졌다.

'아, 내가 아까 무슨 걱정을 하고 있었더라?'

하루를 보내고 저녁이 되자 다시 문제가 떠올랐다. 하지만 오전처럼 복잡하다거나 생각에 압도당한다는 기분은 아니었다. 문제를 생각하지 않은 채 집에서 재미있게 시간을 보낸 뒤였고 언짢은 기분이 환기된 상태였다.

'나 지금 이 정도면 정말 잘 지내는 거 아닌가?'

깊은 밤 문득 그런 생각이 들었다. 스트레스받는 일은 절대 바꿀 수 없지만, 내 생각은 전환할 수 있다는 것. 그 생각의 전환만으로도 우리는 충분히 마음을 쉬어갈 수 있게 된다.

누구에게나 스트레스 받는 일은 생긴다. 때에 따라, 상황에 따라서 끊임없이 스트레스에 시달린다고 느낄 수도 있다. 그로 인해 내 마음이 시끄럽다면 잠시라도 마음을 진정시키는 건 어떨까? 나는 마음을 진정시키고 싶을 때 함께 있는 사람들에게 좋은 기운을 받기도 했지만, 스스로 몸을 움직이는 방법을 택하기도 했다.

특히 배드민턴을 시작하고부터는 스트레스받을 때, 생

각이 많아질 때마다 라켓을 쥐었다. 게다가 친구 석이와 함께 배드민턴을 시작하고부터는 목표가 생기면서 스트레스가 끼어들 틈조차 생기지 않았다. 그 목표는 바로 배드민턴 대회 출전이었다.

안 그래도 빠져 있던 취미에 뚜렷한 목표마저 생겼으니 온 정신이 배드민턴에 쏠렸다. 석이와 나는 시간만 생기면 다른 모든 일을 제쳐두고 오로지 코트 위에서 연습에 몰두했다.

열심히 한 만큼 몸에 무리가 와 한두 곳 아픈 곳이 생겼지만 오로지 정신력으로 버텼다.

"야, 조금 아프면 절뚝이면 되고, 못 참겠으면 병원에서 주사 한 방 맞으면 되는 거야."

그렇게 몇 개월에 걸쳐 대회를 준비한 뒤 결전의 날이 되었다. 음미는 절대 노력은 배신하지 않는다며 응원했지만, 아쉬움이 티끌만큼도 없는 처참한 예선 탈락만이 우리에게 남겨졌다.

석이와 나는 그 결과를 절대 받아들일 수 없었다. 기대가 컸던 만큼 실망도 커 둘 다 절망에 빠져 있던 순간, 음미는 눈물을 흘리며(오해하지 말자. 너무 웃어서다) 카메라부터 들이댔다. 세상에서 나와 석이, 이렇게 둘만 알아도 속이 상할 이야기는 그렇게 우리 채널에 공개됐다.

나에겐 참패의 기억이지만, 여전히 많은 사람이 재미있게 보았고, 재미있다는 말과 함께 다음을 응원하는 댓글을 달아주었다.

"음미, 알지? 나 사실 콘텐츠 만들려고 일부러 떨어진 거야."

음미에게는 농담을 했지만 사실 석이와 나는 패배로 우울한 마음도 있었다. 하지만 달리는 댓글과 반응을 보며 다음 대회 준비를 하게 됐다. 우리 기대에 못 미치는 결과는 바뀌지 않았지만, "재미있잖아?", "사람들이 좋아하잖아!", "야, 무엇보다 콘텐츠 하나 나왔잖아"라며 너스레도 떨 수 있었다.

그리고 다음에 승리하면 기승전결 우승, 그야말로 인간 승리가 된다는 생각에 마음이 들뜨기까지 했다. 눈앞의 결과에 대한 실망보다는 오히려 다음 대회에 대한 기대와 용기로 마음이 편안해졌다.

지금 나에게 주어진 결과는 변하지 않지만, 그 결과를 대하는 내 생각에 따라서 우리는 다음 결과를 다르게 만들 수 있다.

아, 물론 그다음 대회는 아주 멋지게, 더 큰 점수 차이로 예선 탈락했다.

서로의 기쁨을 응원하는 마음

'나는 어떤 사람이 되고 싶은가'에 대해 생각해본 적이 있다. 떠오른 답은 보기만 해도 웃음이 나고 좋은 에너지가 느껴지는 사람이었다. 내가 나로서 자존감을 지키고 앞으로 나아가는 것도 중요하지만, 긍정적인 에너지가 다른 사람에게 충분히 가닿을 때 더 큰 보람을 느낀다.

그래서 나는 처음 보는 사람에게도 밝게 인사하려고 노력하고, 긍정적인 말을 나 자신에게뿐만 아니라 다른 사람에게도 자주 건넨다.

이십 대를 넘어 삼십 대가 되면 나뿐 아니라 주변 친구들의 걱정도 깊어진다. 인생이 무탈하지 않다는 것에 슬슬 눈을 뜨는 시기를 마주하게 된다. 워낙 고민을 들어주는 걸 좋아하는 터라, 주변 친구들이 미래와 일에 대한 걱정을 나에게 털어놓는 일이 많았다.

그럴 때 나는 그냥 무작정 해보라고 응원하고 무조건 잘될 거라고 말해준다. 길지 않은 인생살이지만, 인생이 언제 어떻게 뒤바뀔지는 아무도 모른다는 것쯤은 안다. 그게 나에게 고민을 털어놓는 친구의 인생이 될 수도 있다는 강력한 믿음이 있다.

불안을 내비치며 어렵게 말하는 상대에게 굳이 "내가 현실적으로 볼 때 그건 어렵다고 봐"라고 단호박 같은 이야기를 해야 할까? "우리 나이에 그걸 시작하는 건 늦은 것 같아"라는 말도 마찬가지다.

사실 고민과 걱정을 털어놓는 상대에게 가장 필요한 건 응원의 말이다. 정말 현실적으로, 나이만 봐도 어려울 거라 예상되는 일이라 하더라도 잘해낼 수 있다고 믿음을 주는 사람 한 명은 꼭 필요하다. 나는 그게 나였으면 하는 바람을 가지고 있다.

동갑내기 얼이와 오래 만나다 보니 얼이의 친구가 내 친구이기도 하고, 내 친구가 얼이의 친구이기도 하다. 언젠가 얼이의 코미디연기학과 동기인 지유라는 친구가 나에게 고민을 털어놓았다. 그 당시 지유는 개그 쪽 일을 하면서도 생계유지를 위해 다른 일을 하고 있었는데 그 일에 대한 고민이 있었다.

"나 어떻게 하는 게 좋을까? 이 일을 그만둘까? 계속해도 내 꿈을 이루는 데 문제가 없을까?"

생각도, 고민도 필요없는 질문이었다. 나는 곧바로 대답했다.

"지유야 넌 어차피 개그로 잘될 거야. 그러니까 더 멀리 보고 결정해봐. 다른 생각하지 말고 1년 뒤에 무조건 잘될 거라는 확신을 갖고 선택을 해봐. 노력은 지금만큼만 해도 충분해."

지유는 얼이와 함께 치열하게 개그 시험과 공연을 준비했었다. 매번 나라는 시청자를 끝장나게 웃기는 개그우먼, 나를 펑펑 눈물 쏟을 정도로 웃게 만드는 지유라면 어디에서 무엇이든 해낼 수 있지 않을까 싶었다.

내 응원의 말이 지유가 길을 찾는 데 도움이 된다면, 나는 밤새 라디오처럼 떠들 수도 있을 정도였다.

지유는 무엇보다 자기 꿈을 위해 열심히 노력한 사람이었다. 당시 방송국 개그 프로그램이 폐지되는 녹록지 않은 상황이었지만 그런 현실과 상관없이 자기만의 개그 일도 계속해왔다. 그 끈질긴 인내심만 봐도 밝은 미래가 훤히 보였다.

10년 동안 봐온 친구의 심각한 표정을 사실 그리 심각하게 받아들이지 않았다. 자기 일은 뭐든 잘하니까, 그걸 곁에서 너무 오래 봐왔으니까 그리 심각할 게 없다는 걸 잘 알고 있었다.

그렇게 1년이라는 시간이 지났다. 친구 지유는 유튜브 채널 〈폭스클럽〉에서 "너 T야?"라는 유행어를 만들고 남들을 재미있게 해주는 자기의 일을 계속하게 됐다. 지유에게는 놀라운 일이 벌어진 듯싶었겠지만, 나에게는 너무 당연한 결과였다. 그때의 선택도, 지금의 성공도 모두 지유이기 때문에 가능한 일이라는 걸 알기 때문이다.

최근 지유에게서 메시지가 왔다.

"음미야, 나 작년에 네가 해준 말을 항상 마음에 새기고 있었어. 그리고 항상 나를 재밌어 해주는 네가 있어서 너무 고마워."

괜히 울컥했다. 지유의 실력과 자기 믿음이 만들어낸 결과가 마치 내 성공인 것처럼 기뻤다. 그저 지유가 자기 확신을 가질 수 있도록 응원한 게 전부였는데, 내 응원의 말이 지유에게 큰 힘이 되었다는 게 나를 더 기분 좋게 만들었다. 기쁨이라는 감정은 함께 느낄 때 더 커진다.

우리는 안다, 내 곁에 나를 전적으로 믿어주는 한 사람만 있어도 마음이 든든하다는 것을. 그것만으로도 삶의 고난과 어려움 속에서 위안을 받게 된다. 나에게 그런 사람이 없다면, 내가 누군가에게 그런 사람이 되는 건 어떨까? 따듯한 마음이라는 건 돌고 돌아 언젠가 나에게도 오기 마련이다.

혹시 하루하루가 여전히 힘겹고 '나는 나를 그렇게까지 응원해주는 사람이 없는데…'라는 생각에 빠진 사람이 있다면, 내 말을 마음에 새기면 좋겠다.

"난 확신해, 자기들 무조건 잘될 거야! 내가 전적으로 응원할게!"

맑은 하늘에도 먹구름은 낄 수 있다

우리 채널을 보면 '항상 즐겁게 사는 것 같아서 보기 좋아요~', '얼미부부처럼 살고 싶어요'와 비슷한 내용의 댓글이 달린다. 얼이와 함께, 쏘주와 함께, 그리고 친구들과 함께 재미있게 누리는 일상이 우리 채널의 콘텐츠라 당연히 그렇게 느낄 것이다.

채널에 공개적으로 달리는 댓글은 긍정적인 느낌이지만, 개인적으로 오는 DM에는 조금 더 내밀한 이야기가 담겨 있다. 우선 우리와 비교해 상대적으로 불행하다고 느끼는 마음, 기쁜 일이 없어서 우울하다는 이야기와 함께 행복해지려면 어떻게 해야 하는지에 대한 질문도 많다.

우리가 보내는 일상의 기쁨은 특별하지 않다. 큰 기쁨도 있지만, 여느 직장인이나 대학생처럼 소소하고 비슷비슷한 모양이다. 우리라고 해서 매일 기쁜 일이 몰려오고 시시각각 티브이에 나올 법한 에피소드가 벌어지는 건 아니다.

심지어 과거에는 돈이 없어서 우울한 일도 많았고 꿈을 위해 노력하는 것에 비해 얻어지는 결과가 미비해서 전전긍긍하며 지낸 시간도 길었다. 지금 또한 완벽하지 않다. 가끔은 우울하고 힘든 일이 내 예상과 다르게 벌어져서 일상의 모든 일을 가로막는다. 우울함이 잔뜩 몰려올 때는 그 어떤 일도 쉽게 하기 어렵다.

그렇지만 과거에도, 지금도 별반 다르지 않은 방법으로 극복한다. 힘든 일은 힘든 대로 마주하고 천천히 지워낸다. 친구들과 별거 아닌 이야기로 깔깔 웃으면서 나쁜 일을 뒤로 넘기기도 하고 말이다. 행복이 늘 내 곁에 있다는 걸 의심하지 않고, 행복을 옆에 둔 채 오롯한 하루를 보낸다.

일상의 기쁨과 행복을 위해 내가 지키는 게 한 가지 더 있다. 우울하고 불행한 기분에 한없이 빠져 있는 것만은 피하는 거다. 누구에게나 똑같이 24시간이 주어진다. 그 시간에 다른 누군가는 자신을 위한 일을 생각하고 또 다른 누군가는 자신의 미래를 위해 노력한다. 나만 내 우울에 빠져 허우적대고 있다고 생각하면 시간이 아깝지 않은가.

그래서 나는 우울할 때면 "우울해? 그럴 수 있지. 그래 지금은 그럼 우울하게 있어. 근데 내일까지 그러면 절대 안 돼!"라고 스스로에게 말한다.

마음에 있는 불행과 불안의 무게는 내 의지에 따라 어떻게든 덜어낼 수 있다. 지금 당장 하늘이 무너질 것 같은 기분이라고 해도 사실 곰곰 따져보면 그런 일은 거의 없다. 어차피 세상 무너지지 않을 일에 이리저리 헤매봤자 내 손해일 뿐이다. 이 자명한 사실을 깨달아야 오늘 주어진 작은 기쁨도 오롯하게 누릴 수 있다.

수많은 책에서 긍정적으로 사는 갖가지 방법을 나열한다. 하지만 그것은 행복 에너지가 살짝이라도 남아 있어야만 가능한 일이다. 내가 힘들어 죽겠다고 생각하면,

"긍정? 대체 그건 어떻게 하는 거야! 세상이 날 부정적으로 만드는데!"라는 말부터 나온다.

그럴 때 나는 가볍게, 그렇지만 자신 있게 외칠 수 있는 '작은 일에서 행복 찾기'를 실행한다. 가령 오늘 꼭 입었으면 좋겠다고 생각한 옷이 늦지 않게 도착해서 행복하고, 우연히 추천해준 음식을 먹었는데 너무 맛있어서 행복하다고 여기는 거다. 우연히 길을 걷다 우리 채널을 구독하는 사람을 만나 기쁘게 인사를 나눠 행복하고, 내가 좋아하는 배드민턴을 단단한 두 다리로 즐기며 땀 흘려서 행복하다고 생각한다.

이렇게 하나씩 찾다 보면 행복할 이유가 새삼스럽게 많다는 걸 깨닫게 된다. 그리고 자연스럽게 행복한 이유 한 가지에 집중하게 되고, 마음이 말랑말랑해지면서 난폭했던 마음에 여유가 들어찬다.

마음이 여유로워지면 우박이 떨어져도 낭만처럼 느껴진다. 내가 바꿀 수 없는 것에는 신경 쓰지 않게 되고 세상을 바라보는 시각은 긍정적으로 바뀐다. 삼수 끝에 결국 대학을 포기했고, 수많은 오디션을 전전해도 매번 똑 떨어져 맑은 하늘의 구름조차 보기 싫었던 부정적인 날도 있었지만, 지금은 오늘의 작은 행복을 있는 힘껏 껴안는다.

모두 안다. 이런 슬픔과 분노, 내가 만드는 불행 끝에는 꼭 후회가 온다는 것을. 나도 이따금 생각한다.

'난 왜 꿈 많은 나를 그토록 가혹하게 다그쳤을까.'

우리 인생의 기본 배경은 맑은 하늘이다. 잠깐 먹구름이 조금 낀다고 해도, 그게 인생의 기본 배경이 되지는 않는다. 먹구름은 언젠가 걷히기 마련이다. 맑은 하늘이 늘 기본 배경으로 있다는 것을 아는 것만으로 먹구름이 꼈을 때 인생을 대하는 태도를 바꿀 수 있다. 그러면 구름 낀 날도 기쁘게 넘기고 다시 맑은 하늘을 기다리게 된다.

고난을 헤쳐나가는 문은 두 개다

무난하고 기쁜 일은 쉽게 잊히는데 슬프고 고통스러운 순간은 너무 자주 찾아오는 기분이 든다. 우리 인스타그램 메시지로 오는 질문이나 자기 고백도 좋은 일에 대한 기쁨보다는 어려운 일을 하소연하거나, 어쩔 줄 몰라 방황하는 마음이 대다수다.

우리 채널의 구독자들은 이삼십 대가 많아 미래에 대한 고민과 현실의 벽에 대한 고민이 많다. 대학 입학과 연애, 취업과 결혼까지. 나 또한 늘 고민 많았던 주제들이라 남 일처럼 느껴지지 않았다.

생각한 대로 인생이 풀리지 않을 때 나는 어떻게 헤쳐

나갔는지 떠올려보곤 한다. 막막한 마음에 삶이 가로막힌 기분이 들었을 때, 고난이 자꾸만 쏟아져 내 삶에 끼어들 때마다 내가 생각한 건 한 가지다. 내 앞에 놓인 문은 두 개라는 사실.

첫 번째 문 많이 슬퍼하고 우울해하며 결국 더 큰 고난으로 들어가는 문
두 번째 문 고난이 내 인생의 터닝포인트라는 걸 깨닫고 더 높은 곳으로 도약하는 문

'왜 내 인생에 이런 괴로운 일이 생겼지?'라고 생각하며 주저앉아 있으면 사실 가장 편하다. 하지만 그 상태로 멈춰 있으면 괴로움이 쌓여 나를 집어삼킨다. 반드시 두 번째 문을 활짝 열어젖혀야 하는 이유다.

두 번째 문을 열겠다고 마음먹으면 나를 괴롭힌 괴로운 마음보다 '이 문 밖에는 또 어떤 새로운 일이 기다리고 있을까?' 하고 기대하게 된다. 새로운 곳으로 가겠다고 선택한 문이니까 자연스럽게 기대 심리가 작동한다.

나는 어려운 일을 마주할 때마다 괴로움을 새로움으로

바꾸겠다고 다짐했고, 그럴 때마다 고난이 열어진다는 걸 확신하며 두 번째 문을 열었다.

이별 또한 마찬가지다. 연인과의 이별로 힘들 때도 열리는 문은 두 개다.

첫 번째 문 이별이 너무 힘들어서 자책하고 우울해하며 더 깊은 슬픔에 빠져드는 문
두 번째 문 이별을 인정하고 더 멋진 내가 되어 좋은 사람을 만나겠다고 다짐하는 문

얼이를 만나기 전의 나 또한 전형적인 나쁜 연애 패턴에 빠져 있었다. 연애 초반에는 남자가 나와의 연애에 최선을 다하다가 슬슬 마음이 변하는 것. 결국 서운한 마음을 드러내는 나와 그 마음을 이해 못 하는 남자 사이에서 다툼이 일어나고, 얼마 지나지 않아 헤어지고 또다시 만나기를 반복하는 연애였다.

특히 상대의 거짓말을 몇 번 알게 된 후 신뢰 관계가 깨졌다. 그가 어떤 말을 해도 더 이상 진실로 받아들일 수

없게 됐다. 연애 내내 '저 말은 진짜일까, 아닐까?'에 에너지를 쏟는 나를 발견했다. 그러던 어느 날 또다시 나에게 거짓말을 했다는 사실을 알게 되었고, 결국 완벽한 이별을 하게 됐다. 좋은 이별이란 결코 없지만 나만 유난히 안 좋은 연애와 이별을 한다고 느꼈다. 그리고 그 화살을 나 자신에게 돌렸다.

'난 왜 연애를 이렇게밖에 못 하지? 저 남자의 마음이 변한 건 내가 부족해서인가?'

스무 살 초반의 나는 이러지도 저러지도 못한 채 한자리만 빙빙 돌고 있었다. 하지만 얼이를 만나 새로운 사랑을 시작했고, 지금까지 왔다. 서로가 달라 이별했다고 인정할 때, 하지만 내가 좋은 사람이니까 결국 괜찮은 사람을 만나게 될 거라고 확신하게 됐을 때 안정적인 연애를 할 수 있게 된다.

물론 이별 후 두 번째 문을 열기까지 참 우여곡절이 많았다. 연애 관련 책을 섭렵하기도 했고, 얼이를 만나고도 처음에는 신뢰하지 못했다. 하지만 얼이라는 좋은 사람을 만난 덕분에 안정을 찾게 됐다.

내 삶을 가장 사랑하고 큰 소리로 응원해야 하는 사람은 나 자신이다. 특히나 고난이 닥쳐올 때는 더더욱 스스로를 믿어야 한다. 계속해서 감정과 관계에 발이 걸려 넘어지고 우울한 일들만 솟아나는 기분이 든다면, 제일 먼저 스스로를 충분히 다독여주자.

그런 다음 정신 차리고 두 번째 문을 향해 걸어가자. 살아가며 마주하는 자잘한 고난이든 큰 고난이든, 어차피 모든 것은 지나간다.

음미표
인간관계 수업

내가 이십 대 때 힘들어했던 것 중 하나는 인간관계였다. 모두에게 좋은 사람이고 싶고, 그러면서 무시당하지 않고 대우받으며 관계 맺고 싶다는 생각이 욕심이라는 걸 그때는 몰랐다. 관계를 맺은 이상 의도하지 않아도 상처를 주고받는 게 자연스러운 일이라는 걸 알지 못했다.

자꾸만 관계에 헛발질을 하며 스스로를 채찍질하다가 내가 깨달은 해법은 다름 아닌 자존감이었다. 자신을 더 귀하게 여겨야 타인과의 관계가 수월해진다는 답에 다다랐다. 자존감에 대해 꼬리에 꼬리를 물고 자문했다.

'왜 자존감이 높으면 인간관계에서 상처를 안 받는다

고 얘기하는 걸까?'

'자존감이 높다는 건 나를 사랑한다는 건데, 나를 사랑한다는 이유만으로 타인에게 상처를 안 받을 수 있다는 뜻일까?'

'그러면 나를 사랑한다는 건 뭐지?'

내가 사랑하는 사람들을 떠올렸다. 좋은 데 가면 가장 먼저 떠오르고, 지금 무얼 하는지 궁금해지고, 언제든 함께하고 싶은 사람들. 누군가를 사랑하면 자연스럽게 그 사람이 좋아하는 게 무엇인지 알고 싶어진다. 좋아하는 걸 해주고 싶으니까.

좋아하는 사람들을 떠올리자 자존감이 무엇인지 헤아릴 수 있게 되었다. 자존감은 있는 그대로의 나를 인정하며 사랑하는 일이고, 나를 사랑한다는 건 나에 대해 궁금해하는 것이라는 걸. 그래서 시작했다, 나에 대해 알아가기를. 내가 어떤 사람을 편안하게 생각하고, 무엇을 할 때 재미있어하는지, 어떤 취향의 책과 음악을 선택하는지, 내가 미처 몰랐던 내 모습은 무엇인지…. 나에 대해 하나씩 알아갈수록 신기한 느낌이었다. 하루하루 그저 별 의미 없이 무언가를 선택한다고 생각했지만, 나는 좋아하는 것이 다양해 많은 것을 하고 싶어 했고, 작은 일에도 쉽게 재미를 느껴서 누구와도 두루두루 잘 지내는 사람이었다.

나에 대해 알아갈수록 재미있었다. 특히나 이십 대에서 삼십 대로 넘어가면서 내 안에 쌓인 경험이 많아질수록 나를 더 풍부하게 알 수 있었다. 남들 시선에 얽매여 있는 모습이 아닌 진정한 나를 이해하게 된 것이다.

그렇게 나를 알게 되니 인생에 심심할 틈이 없었다. 내가 좋아하는 '나'를 데리고 해야 할 일도 많았고, 해주고 싶은 것도 많았다. 그러다 보니 어느 순간 내 마음에 행복이 소소하게 자라고 있었다.

'이거였구나!'

자존감이 높은 사람이 사랑이든 인간관계에서 상처를 덜 받는다는 뜻은 '나만 사랑해서'가 아니었다. 홀로 행복할 수 없는 사람은 타인과도 행복할 수 없다. 자꾸만 외부에서 행복을 건지려고 하다 보니, 인간관계에 매달리고 남들 시선에 힘을 빼앗긴다. 그렇게 애써도 결국엔 상처를 입는 이유 또한, 스스로 행복해지는 방법을 모르기 때문이었다.

스스로 행복하다고 느끼면 타인에게 기대지 않는다. 가짜 자존감, 자기애에 빠져 주변 사람들을 함부로 대한다는 게 아니다. 좋은 일, 나쁜 일 모두를 그대로 받아들일 수 있게 된다. 나를 먼저 사랑하는 일. 그게 바로 좋은 인간관계의 시작이다.

♦ 막간 에피소드 2 ♦

음미와 사귄 지 일주일 만에 친한 친구들에게 음미를 소개했다. 그때 나중에 음미와 결혼한다고 했더니, 한 친구가 콧방귀를 뀌며 말했다.
“너네가 결혼하면 내가 너희한테 집 사준다!”
음미 휴대폰에 그 친구의 음성이 증거로 남아 있기 때문인지, 이 친구는 우리가 잘 만나며 결혼에 가까워질수록 불안해하며 봐달라고 사정했다.
한번은 그 친구가 술을 마시다 제안했다.
“얼아, 뺨 한 대에 백만 원씩 깎아주면 안 될까?”
안 될 리가! 그날 (장난으로) 친구 뺨을 다섯 대 때리고 5백만 원을 깎아줬다. 서로 섭섭하지 않은 거래였다. 그런데 이게 뭔 일인지…. 자고 일어나니 그 친구가 사주겠다던 집값이 천만 원이 올라 있었다. 친구와의 채무 관계가 쉽게 끝날 것 같지 않다.

행복 레벨업

우울하고 슬플 때 나에게 선물하기

난 우울하고 슬플 때 이런 선물을 나 자신에게 해.

1. 분위기 좋은 카페에서 좋아하는 음료, 디저트 시켜 놓고 여유롭게 책 보기
2. 백화점 가서 백화점 공기 마시기
3. 쉬는 날 런치메뉴 시킬 수 있는 시간까지 푹 늘어지게 자기

우울하고 슬픈 일이 생기면 '지금 면역력이 떨어져서 더 힘들구나' 생각하고, 나에게 귀한 선물을 주는 거야. 작아도 충분히 마음의 면역력이 회복되는 선물을 말이야.

불행하다는 건 착각일 수 있어!

자기들의 이야기

지금의 불행은 착각일지 몰라

혹시 인간관계 때문에 걱정이 많아? 관계로 인한 걱정이 없어야 건강한 관계야. 그 인연이 중요한 게 맞는지 생각해보는 건 어때?

꿈을 이룰 수 없을 것 같아 불안해? 그렇다면 간절하게 바라는 마음을 조금 내려놓은 건 어떨까? 간절해도 모자랄 판에 무슨 얘기냐고?

나는 세 번의 대학 입시와 수많은 오디션을 보며 늘 간절했어. 그런데 사람이 너무 간절하다 보니까 마음에 여유가 없어지더라고.

그러던 어느 날 '이제 진짜 공연 관둘래!' 하던 차에 오디션 제의가 들어와서 보러 가게 됐어. 사실 관두려던 참이라 간절함 없이 오디션을 봤는데 떡하니 붙었어. 간절함을 내려두니까 오히려 여유롭게 오디션을 볼 수 있었던 거지.

여유에서 나오는 힘이 강하다는 걸 그때 느꼈어. 지금 충분히 열심히 하고 있어! 그런 나를 믿고 간절함을 조금 덜어내보자.

자, 이번 페이지에는 최근에 가장 불행하다고 느꼈던 일들을 탁탁 털어서 써보자. 옅은 색 펜으로 쓰고 그다음 진한 펜으로 엑스를 치는 거야. 아예 안 보일 정도로! 살다 보면 정말 별일 다 생기는데, 시간이 지나면 '그게 별일이 아니었구나' 하고 느껴지는 순간이 많잖아. 그 경험을 믿어보자. 어차피 우리 모두 잘될 수밖에 없다는 믿음을 갖자.

3부

매일이 우당탕탕 엉망진창 같아도 나답게 살기

세상에 쓸모없는 일은 없다

이십 대 중반 함께 공연을 했던 친구가 있었다. 그 친구도 나와 같은 상황에 놓여 있었다. 오디션에 떡하니 붙으면 좋았을 텐데, 주야장천 오디션을 봐도 자꾸만 떨어졌다. 하필이면 오디션 프로그램을 통한 가수 데뷔가 열풍 아닌 열풍이었던 시절이었고, 그만큼 오디션을 찾는 나와 같은 지망생이 차고 넘쳤다.

매번 오디션을 찾아다니는 것도 힘에 부치기 시작할 때쯤 다른 방법을 찾아야 한다는 생각이 번뜩 들었다.

"우리가 찾으러 가지 말고 사람들이 우리를 찾아 오게 만들자!"

실행력 하나는 끝내주는 우리였다. 곧바로 부푼 꿈을 안고 유튜브 채널을 열었다. 대형 기획사며 오디션 프로그램에서 우리를 찾아줄 거라고 생각했지만 그건 순진한 발상이었다. 예상했다시피 큰 인기도 못 누리고 채널을 우리 손으로 삭제해야만 했다. 결과는 실패였지만, 아직도 그때 이야기를 하면서 너무 재미있게 웃을 수 있는 친구와의 소중한 추억이다.

당시 채널을 처음 만들고 내가 원하는 것을 얻지는 못했지만 한 가지 배운 것은 있다. 바로 영상 편집. 모르면 모르는 대로, 초록창 검색을 뒤지며 영상 편집을 독학했다. 그때 배운 영상 편집 덕분에 얼이와의 일상을 영상으로 찍고 편집해 올리는 데 큰 어려움이 없었다.

사람 일은 모른다. 배울 수 있을 때 배워두면 언젠가 꺼내 써먹을 수 있는 순간이 기필코 찾아온다. 이 마음은 실패를 거듭하면서 더더욱 단단하게 굳어졌다. 하루하루 자기계발을 하지 않으면 큰일이 나는 줄 알았던 시절, 그땐 정말 이를 악물고 무엇이든 열심히 배웠다.

나는 친구들에게 어떤 옷과 어떤 머리 스타일이 잘 어

울리는지 찾아주는 걸 좋아했다. 내 조언을 듣고 스타일을 바꾸는 친구도 있을 만큼 꽤 그럴싸한 안목을 갖고 있었다.

'뭐야, 설마 나 스타일을 찾아주는 데 보통의 안목 그 이상의 눈썰미가 있는 거 아닌가?'

이번에는 초록창이 아니라 유튜브를 뒤졌다. 퍼스널컬러를 독학하고 (이른바 '야매'로) 친구들 퍼스널 컬러를 찾아주며 자격증을 따기 위해 온라인 강의도 신청했다. 근데 참으로 신기한 일이다. 재미 삼아, 친구들과 스타일과 색에 대해 이야기하면 그렇게 재미있었는데, 심오한 색채의 세계로 들어가자 흥미가 뚝 하고 떨어졌다.

'이 길은 내 길이 아닌데?'

스스로 아니라고 생각한 일에는 뒤도 돌아보지 않는 성격이라 곧바로 강의를 관뒀다. 그러다 눈을 돌린 건 바로 스마트스토어였다. 무자본 창업이라니! 온라인에서 손쉽게 사업을 운영할 수 있다는 게 큰 매력으로 다가왔다.

곧바로 서점에 가서 스마트스토어를 여는 방법, 손쉽게 매출을 올리는 방법이 적힌 수많은 책을 섭렵했다. 마케팅 책까지 찾아보며 온라인 강의도 들었지만…. 역시나 이번에도 실패였다.

거듭된 실패와 손쉬운 포기가 이어졌다. 무얼 하든 '아, 이거다!' 싶은 건 없었다. 그래서 우울했냐고? 아니다. 우선 난 그 시절 너무 최선을 다했다. 딱 스무 살이 되었을 때 알았다. 최선을 다한다고 해도 성공은 '복불복'이라는 것을. 또한 처음 한 일에서 성공을 거두는 사람은 몇 없다는 것도 또래에 비해 빨리 알았다.

인생에 딱 하나만 얻겠다는 간절한 마음으로 뛰어든다 해도 성공하는 게 아닌데, 여러 시도를 하면서 다 잘해내려는 건 욕심이 아닐까? 많이 시도해보고 시행착오를 겪어보는 것도 공부라고 여겼다. 실패는 실패대로, 포기는 포기대로 그냥 내 경험으로 축적된다는 것만으로도 충분했다.

수많은 것을 공부하고 경험하며 깨우친 건 세상에 쓸모없는 일은 없다는 거다. 내가 배운 일들, 해온 것들은 전부 앞으로 내 인생의 자양분이 된다. 실패는 그것을 어떻게 바라보는지에 따라 달라질 뿐이다.

솔직히 말하면, 무언가에 도전하는 내 모습에 취해 있었다. 결국엔 실패였더라도 시작했다는 사실만으로도 성취감이 온몸에 차올랐다. 이 성취감은 쉽게 중독된다. 새로운 일, 안 해본 일에 도전하는 게 전혀 두렵지 않았다.

'실패하면 뭐 어때. 아무튼 난 최선을 다했는데?'

이런 자신감이 늘 마음 가득 차 있었다.

그렇게 도전하면서 깨달은 것은 더 있었다. 내가 관심 가진 일이 정말 내 적성에 맞는지를 선별하는 능력이었다. 더 배울 것인지 말 것인지, '고!' 할지 '스톱!' 할지를 능수능란하게 분별하게 됐다.

우리는 스스로가 하루아침에 만들어지지 않는다는 걸 간혹 까먹는다. 지금의 나는 내가 해왔던 실패를 포함한 모든 경험으로 만들어졌다.

나에게 오는 DM만 봐도 얼마나 많은 사람이 현재를 힘들어하고 벅차하는지 안다. 빈말이 아니라, 너무나도 잘 안다. 왜냐하면 내가 이미 겪어온 일들이니까. 하지만 실패와 좌절이라는 경험을 하다 보면 희한하게도 내성이 생긴다. 그러면 다음에 또 넘어졌을 때 아무렇지 않게 툭 툭 털고 일어나게 된다.

나만 겪는 실패는 없다. 세상에 태어나 첫발을 뗀 순간부터 우리는 넘어지는 경험을 쌓았고 그 경험을 통해 두 다리로 걷기 시작했다. 그때처럼, 자꾸 넘어져도 계속 일어나는 그 기세로 앞으로의 실패를 내 것으로 만들어보자. 세상에 쓸모없는 일은 결코 없다는 마인드로!

배움이라는 인생의 기술

얼 이

내 성격의 강점을 꼽으라면 단연 돋보이는 게 있다. 무언가에 빠지면 꽤 오랫동안 그 한 가지에 매달린다는 것이다. 배우고 싶은 것이든, 사람이든 상관없이 말이다. 특히나 무언가 새로운 걸 배우는 데 빠져들면 그게 미래의 자양분이 되어 삶의 치트키가 되었다.

스물두 살 때쯤이었다. 대학로에서 공연을 하던 때였는데, 잠깐 쉴 수 있는 몇 개월의 시간이 생겼다. 방학이라고 여기기엔 생각보다 긴 시간이라 배울 만한 걸 찾아다녔다.

영어를 배우기에 기간이 적당할 것 같았지만 어떻게 공부해야 할지 전혀 알지 못했다. 일단 영어 학원부터 다녀야겠다는 생각에, 종로에 있는 학원에 등록했다. 그런데 그것만으로는 부족한 것 같았다. 영어 공부법을 찾으면 죄다 영어를 사용하는 환경을 만들라는 조언뿐이었다.

더 빨리 배우고 싶은 생각에 무작정 이태원에 있는 외국인이 많이 오는 술집에서 서빙 아르바이트를 시작했다. 그마저도 살짝 부족하다는 생각에 이태원에 고시원을 얻어 살았다.

낮에 학원에서 간단한 회화를 배우면, 밤에 서빙 아르바이트를 하며 외국인들에게 써먹었다. 무작정 말을 걸었다. 지금 떠올려보면 웃긴 상황이긴 하다. 주문을 받으며 서빙하다 말고, 갑자기 내 취미를 알려주고 상대 취미를 물어봤으니 말이다.

그래도 '스몰 토크'라는 문화가 있는 외국인들은 익숙한 듯 열심히 나와 대화해주었다. 그때 사귄 친구도 있을 정도로 영어를 잘 못 한다는 생각, 외국인은 낯설다는 생각을 지울 수 있었다. 지금도 영어를 잘하는 건 아니다. 하지만 외국인에게 선뜻 말을 걸고 영어로 대화하는 걸

겁내지 않는 이유는 그 시간 덕분이다.

수어를 배울 때도 마찬가지였다. 농인들을 위한 수어 개그 공연을 하고 싶은 마음에 수어 공부를 시작했을 때다. 서울시에서 운영하는 수어교육센터에서 농인 강사에게 수어를 배울 수 있었다. 그러나 수업 시간에만 해서는 빨리 늘지 않을 것 같았다. 그래서 이때도 영어 공부를 할 때와 같이 생각했다. 수어를 많이 사용하는 환경에 나를 놓아두기로 했다.

농인교회도 찾아가 보고, 농인 친구도 만들었다. 그러다 농인 선생님과 친해져서, 내가 만든 수어 개그 대본에 대해 개인적으로 상담하기도 했다. 인연이 깊어져 선생님과 함께 수어로 하는 뮤지컬 공연을 하기도 했다.

농인 배우들로만 이루어진 뮤지컬이었고, 대사는 전부 수어로 진행되는 공연이었다. 내 역할은 수어를 모르는 청인들을 위해서 목소리 더빙을 해주는 것이었다. 그리고 한 가지 더. 당연히 뮤지컬에는 노래가 빠질 수 없다. 내가 소리를 듣고 손가락으로 박자를 알려주면 배우들은 내 손가락만 보며 박자를 맞추고, 노래하고 춤을 추었다.

함께 연습하다 보니 그들과 정말 많이 친해졌는데, 그러다 보니 재미있는 에피소드도 많다. 한번은 오산까지 가서 연습을 한 적이 있는데, 연습이 길어져 자정을 넘기고 말았다. 차가 끊겨 할 수 없이 주변 사우나에서 하룻밤 자기로 했다.

사우나에는 나름의 명당이 존재한다. 일행들과 씻고 나와 주변을 살피며 누울 만한 자리를 찾았다. 소음이 적고 깊이 잠들 만한 아늑한 공간은 이미 다른 사람들이 선점한 뒤였다. 이리저리 눈치를 보다 내가 먼저 조용한 장소를 찾을 수 있었다. 그러나 일행들은 조명이 밝아서 안 좋다며 나를 일으켰다.

그러다 한 명이 더 좋은 곳을 찾았다며 나를 끌고 갔다. 어둡고 아늑한 공간이었다. 내일 연습을 위해 곤하게 잠들려고 하는 찰나.

"드르렁, 크흐흐흑."

세상에나. 규칙적으로 크게 울리는 코골이 소리에 도저히 잠을 잘 수 없었다. 깜짝 놀라 벌떡 일어나니, 뭐가 문제냐고 물어보는 일행.

"너무 시끄러워서 절대 잘 수 없는 곳이야. 역시 이런 명당에 사람이 없는 이유가 있었어."

내가 수어로 답했다. 일행은 코 고는 소리가 안 들려서 전혀 몰랐다고 했다. 서로가 이유를 알게 되고 얼마나 웃었는지 모른다. 결국 우리는 각자의 명당에 잠자리를 펼쳤다.

이 에피소드는 한동안 우리만의 웃음 버튼이었다.

영어에 대한 두려움을 없애고 생소한 수어를 배우면서 다양한 사람과 함께 무대에 오를 수 있었던 건 배움이라는 인생의 기술 덕분이었다. 새로운 만남과 삶이 궁금하다면 무엇이든 시간을 내 배우는 건 어떨까? 첫발을 떼기 힘들겠지만 시작하고 나면 단박에 알 수 있다. 내 삶에 지각 변동이 곧 시작될 거라는 것을. 물론 좋은 방향으로 말이다.

극과 극인
우리입니다만

우리가 부부로 유튜버를 하며 가장 많이 받는 질문은 단연 "어떻게 그렇게 잘 맞는 사람을 만났나요?"이다. 많은 사람이 우리가 하나부터 열까지 전부 잘 맞는 줄 알고 있지만, 가만 보면 우린 완전 정반대인 부분이 너무나도 많다.

우리는 성향도 정말 다른데, 같은 상황을 완전 다르게 받아들이는 것만 봐도 차이가 확연하다.

석이라는 친구가 어느 날 일을 하며 마주친 한 유명인에 대해 이렇게 말했다.

"아니, 그분 정말 성격이 소탈하고 좋은 것 같더라고."

"왜?"

"옆에 방청객이 안경을 닦고 있었는데, 아무렇지도 않게 안경닦이를 빌리더라니까?"

옆에 있던 음미는 곧바로 맞장구를 쳤다.

"어, 정말? 우와~ 성격 너무 좋으시다!"

반면, 나는 자연스럽게 드는 의문을 입 밖에 꺼낸다.

"안경닦이를 다른 사람한테 빌리면 성격이 좋은 거야?"

그러면 보통 음미가 장난스럽게 눈을 흘긴다(근데 정말 진지하게 궁금한데요. 저 행동이 정말 성격이 좋은 거라고 할 수 있는 건가요…? 끝까지 뭔가 이해하기 힘든 나란 사람의 사고).

이렇게 우리는 달라도 너무 다르다. 하지만 10년 넘도록 이렇게 엇나가는 생각을 나누면서도 단 한 번도 서로 다른 생각 때문에 싸운 적은 없었다.

그렇다고 매번 좋기만 했느냐 묻는다면, 그 또한 아니다. 다른 환경에서 살던 둘이 처음 만나면 서로를 이해하는 데 시간이 걸리고 그 과정에 섭섭한 마음이 생기는 건 자연스러운 일이다. 우리는 그 시기를 잘 통과했고 서로를 잘 이해하게 됐을 뿐이다.

또 다른 예를 들자면, 우리는 술 궁합이 안 맞다. 이건 정말이지 절대적으로 다르다.

"아직도 밖에서 술을 먹고 있다고?"

술을 좋아하는 나는 공연이 끝난 뒤에 자연스럽게 친구들과 술자리를 가졌다. 그에 반해 음미는 술을 잘 마시지 못할뿐더러 좋아하지도 않는다. 음미의 이해 안 된다는 반응은 당연했다.

이럴 땐 내 술자리를 음미에게 이해받기 위해 노력하는 것보다는 안심하게 만드는 게 우선이었다. 특히나 음미는 직전 연애가 어떻게 끝났는지 나에게 솔직히 말해줬기 때문에 난 의심할 상황을 만들지 않으려고 애썼다.

"ㄴㅏ 곳 술자리,. 끝날 것 같애! 끝나묜 바로 전화하ㄹ게!"

술을 마시느라 정신이 뚜욱 끊기는 한이 있더라도, 오타가 잔뜩 찍힌 문자를 보내고 꼬인 혀로 전화를 해서 현재 내 상황을 알렸다. 굳이 그렇게 해야 하냐고? 관계는 어느 한쪽의 방식으로는 이어질 수 없다. 그래서 나는 '술 때문에', '친구 때문에'라는 변명으로 음미와의 관계를 뒷전으로 미룬 적이 없다.

또 다른 극단의 우리를 살피자면… (참고로 난 안 좋아하지만) 음미가 좋아하는 MBTI만 해도 완벽하게 반대다. 극 T형인 나와 극 F형인 음미는 처음 만날 때부터 서로를 알쏭달쏭한 사람으로 읽기도 했다. 대화를 나누다가 서로의 성향이 달라 이해하기 어려운 순간이 많았기 때문이다. 특히나 연애 초반 때는 더더욱 서로의 성향을 몰라 답답한 대화가 이어지기도 했다.

가령 음미가 직장에서 있었던 속상한 일을 털어놓을 때가 있었다. 나는 음미의 푸념 하나하나에 나만의 잣대를 대고 판단을 내렸다.

"음미야, 그건 사장님이 잘못한 거라고만 볼 수 없지 않아?"

"근데 상사면 그걸 하라고 할 수도 있지."

"에이, 동료인데 그런 말도 할 수 있잖아?"

어느 날 음미가 폭발하기 전까지는 전혀 알지 못했다. 가치 판단을 해달라는 게 아니라 그저 회사에서 섭섭했던 일을 들어달라는 뜻이었다는 걸. 음미가 매번 나쁜 이야기만 하는 것도 아닌데, 난 자꾸만 내 해석과 판단대로 가르치려 들었다. 이제는 너무나도 잘 안다. 그저 좋은 일이든 나쁜 일이든 하루 중 있었던 일을 나와 함께 나누고 싶어 한다는 걸 말이다.

요즘 나는 부쩍 그런 생각을 한다.

'음미 말이 틀려도 다 맞다!'

'우린 싸우는 게 아니다. 음미에게 내가 혼나는 것일 뿐.'

그저 음미와 함께 있으면 다 좋은데, 하나하나 옳고 그름을 따지는 건 의미가 없다. 내 성향마저 무너지게 만드는 게 바로 진정한 사랑 아닐까(아, 그래도 안경닦이에 대한 견해만은 제외다). 극과 극인 성향이라 해도 진정으로 상대를 사랑한다면 모든 것을 인정하고 포용할 수 있다.

가치 있는 일을 한다는 것

얼이는 친구들 사이에서 웃기기로 유명하다. 그의 특출난 장기에 나와의 티키타카가 어우러지면 주변에서 늘 하던 말이 있었다.

"너희 너무 웃겨. 꼭 유튜브 해봐."

우리 둘 다 남들 앞에 나서는 일을 수없이 해왔고, 그게 직업이 되길 바랐던 터라 그 말을 한 귀로 듣고 넘기지는 않았다. 하지만 모든 것은 콘텐츠 싸움인 법. 우리는 친구나 가족과 함께 있을 때는 그 누구라도 웃게 만드는 무적의 콤비였지만 카메라를 켜두고 무언가를 하려 하니 무엇을 어떻게 해야 할지 도통 알 수 없었다.

어떤 콘텐츠를 누구에게 어떤 방식으로 전달할지 막막해서 고민하던 어느 날 막 결혼한 친구 부부가 우리 집에 놀러왔다.

"우리 결혼 생활의 롤모델은 너희야. 정말 더도 말고 덜도 말고 딱 너희처럼 살면 너무 행복할 것 같아."

"우리?"

"사실 결혼하기 전에 다른 부부들을 보면서 고민 많았거든. 결혼 전에 연애하던 시절이 좋다고 푸념하는 사람도 있었고, 심지어 결혼을 해보고 나니 사랑은 없다고 말하면서 결혼을 말리는 사람도 있었어. 안 그래도 해본 적 없는 일이라 고민 많았는데 너희를 보고 결혼해서 사랑하는 사람이랑 함께 살면 좋은 일이 더 많이 온다는 걸 알았어."

주변 친구들이 가볍게, 농담 반 진담 반으로 코미디언 콤비 같다고, 둘이 같이 유튜브를 찍어보라고 할 땐 한없이 고민했었다. 그런데 이토록 진지하게 결혼 생활의 롤모델이라는 말을 듣자 우리가 가진 것을 어떻게 사람들에게 보여줘야 할지 알 것 같았다.

'맞아. 사랑은 좋은 건데!'

마음이 맞아 미래를 함께하기로 약속했고 그 약속을 지키기 위해 노력한다. 그리고 마음의 온도를 유지하며 평범한 일상을 함께 누린다. 이렇게 평범하다고 생각했던 우리의 모습이 누군가에게 좋은 영향을 주다니! 기분이 들뜰 수밖에 없었다.

"얼아, 이거야!"

카메라 앞에서 애써 잘하는 것을 찾아 보여주고 대단하다는 댓글을 받는 걸 목표로 두지 않기로 했다. 여전히 연애가 어렵고, 결혼이 무엇인지 모르겠고, 더 나아가 누군가를 사랑하는 방법을 도통 찾을 수 없는 누군가에게 우리의 이야기를 들려주고 싶었다. 얼이와 나의 일상을 그대로 낱낱이 보여주는 게 우리만이 할 수 있는 콘텐츠였다. 그런 영상이라면 친구가 느낀 것처럼 남들에게 긍정적인 영향을 줄 수 있지 않을까?

그때부터는 너무 쉬웠다. 익숙하지 않으니까 짧게. 고

민 따윈 지우고 그냥 일상을. 우당탕탕 엉망진창 같아도 자연스러운 일상의 모습이기 때문에 별 고민 없이 영상으로 올릴 수 있었다. 영상을 몇 개 올리지도 않았는데 그야말로 폭발적인 반응을 얻었다.

운도 좋았다. 초반 영상부터 화제가 되었는데, 당시에 내가 만들어준 음식을 먹고 얼이가 너무 맛있다며 리액션을 하는 영상과 당시 인기리에 방영된 〈스트릿 우먼 파이터〉의 춤을 추는 내 영상이 여기저기에 퍼지며 순식간에 팔로워 만 명이 되었다.

바야흐로 비혼의 시대, 연애조차 어렵고 왜 해야 하는지 모르겠다고 토로하는 시대에 사랑받는 부부가 되었다는 게 믿을 수 없었다. 우리의 일상 그 자체를 사람들에게 보여주는 일이 얼이와 내가 함께 할 수 있는 일이 됐다는 게 가장 믿기 힘들었다. 우리를 보여주고 응원받는 마음과 별개로 마음이 더 넉넉해지는 건 많은 구독자에게 받는 메시지 덕분이다.

“어릴 적 가정환경이 너무 안 좋았어요. 결혼에 대해 단

한 번도 긍정적인 생각을 한 적이 없는데, '얼미부부'를 보고 결혼에 대해, 사랑하는 사람을 만나는 것에 대해 다시 생각해봤어요."

"연애만 하면 싸우고 나쁘게 헤어지다 보니 다시는 소개팅조차 하기 싫었는데, 언니를 보니까 저도 좋은 사람을 만나서 재미있게 살고 싶어요!"

대부분이 사랑과 연애, 결혼에 대해 부정적이었는데 그 생각을 바꾸게 되었다는 이야기였다. 우리가 뭘 했다고 이렇게 타인의 삶에 영향을 끼칠 수 있었을까. 그저 재미있는 걸 보여주고, 기쁜 일을 더 신이 나게 전달하고자 했을 뿐인데 말이다. 이런 마음이 고마워서 절대 지친다는 느낌 없이 영상을 올릴 수 있었다.

그리고 덧붙여 다짐하게 됐다, 우리의 말과 행동이 누군가를 다치게 하지 않도록 조심하고 더 올바른 방향으로 나아가자고. 그 가치를 마음에 새기고 나니, 앞으로는 어떤 영상으로 어떤 메시지를 전해야 할지 더더욱 명확해졌다.

일단 시작하면
단순무식 정신으로!

"무식하면 용감하다."

옛 어른들 말씀 중 틀린 말 하나 없다지만, 내가 스무 살이 된 해 이 말을 완벽하게, 온몸으로 체득하게 됐다.

스무 살, 대학생, 방학. 이 모든 것으로 시작된 일이었다. 친구들과 술을 마시다가 어느 정도 취했을 때였다. 뜬금없이 한 친구가 말했다.

"우리 자전거 여행 한번 해보자!"

쏟아지는 해를 받으며 바람을 가로질러 바다를 향해 질주하는 모습이 꽤 그럴싸하게 그려졌다.

"와, 좋은데?"

그 누구도 말리지 않았고, 우리는 머리를 맞대고 동해로 행선지를 정했다. 참고로 당시 살던 지역은 오이도역이었다. 이왕이면 우리나라를 횡단할 수 있도록 서해에서 동해로 가보자는 당찬 마음이었다.

다음 날 대충 계획을 세우고, 그다음 날 곧바로 출발하는 3박 4일의 일정. 그 시절엔 스마트폰도 없었으니, 집에서 인터넷으로 길을 확인하고 대충 메모장에 옮겨 적는 게 전부였다. 가는 길에 길이 헷갈리면 지나가는 사람에게 물어보면 된다는 정신, 자전거는 집에 있는 5만 원짜리 아버지의 동네 마실용 자전거면 된다는 마음. 이 두 가지만으로도 모든 것이 완벽하다고 생각했다.

그렇게 완벽했던(?) 준비와 목표였지만, 자전거를 타면서 조금씩 깨달은 사실이 두 가지 있었다. 첫 번째는 자전거로 오르막길을 오르는 건 너무 힘들다는 사실. 두 번째는 우리나라 절반이 산으로 이루어져 있다는 사실이었다.

게다가 우리가 목표한 동해안 정동진에 가기 위해서는 태백산맥을 넘어가야만 한다는 걸 전혀 의식조차 못 하고 있었다. 한국 지리를 책상에 앉아 암기하듯 배운 탓에 실제 위치와 모습을 상상조차 못 했다.

한국의 여름 날씨를 굳이 설명할 필요는 없겠지만, 머리 위로 해를 가릴 만한 게 아무것도 없는 여름날, 뜨거운 아스팔트 도로와 시골길을 달리면서 땀을 흠뻑 쏟고 나면 이러다가 죽는 게 아닐까 하는 생각이 밀려왔다. 그럴 땐 보통 되돌아가는 길을 택하거나, 데리러 와줄 어른을 떠올리지만 우리 생각은 달랐다.

"야, 이러다 죽을지도 몰라. 우리 낮에는 잠을 자고 밤에 이동하자."

네 명 모두 수긍했고 우리는 낮에는 대충 아무 데나 짐을 풀고 자고, 해가 떨어질 즈음 일어나 낑낑대며 자전거를 타고 동쪽으로 향했다.

나흘째 되던 날, 이미 여러 번의 언덕과 산을 넘어온 우리는 또 한 번 산길을 올랐는데, 아무리 오르고 올라도 끝이 나지 않았다.

'이번 산은 생각보다 높군.'

이렇게 단순하게 생각하며 끝까지 오르기로 했다. 단순함이 우리의 무기였으니 말이다. 그런데 또 희한한 게,

그 단순한 생각을 하고 올라도 끝이 전혀 보이지 않았다. 밤길이라 너무 위험하다는 생각이 든 순간 시계를 보니 시간은 이미 새벽을 향해 가고 있었다. 거의 무아지경으로 패달을 밟으며 오르고 또 올랐던 것이다!

"조금만 더 오르자! 다는 못 올라도 잘 곳 있으면 좀 눕자!"
"할 수 있다!"
"그래, 할 수 있는 데까지 으라차차!"

졸리고 힘든 마음을 서로를 향한 응원으로 지우며 오르다 보니 공터 같은 곳이 나왔다. 드디어 쉴 수 있다는 안도감에 다리마저 풀리는 기분이었다. 대충 짐을 풀고 털썩 주저앉는데, 도대체 어디까지 왔는지 궁금해졌다. 두리번거리며 이정표를 찾았다.

대관령.

남들은 곡소리를 낼 상황이었겠지만 한창 나이도 어리고 힘든 일을 마주한 경험이 적었던 우리는 또다시 단순하게 생각했다.

"야, 이제 내려갈 일만 남았어!"

"우와!"

내리막길만 남았다는 생각만으로도 우리 넷은 모든 피곤함을 벗어 던질 수 있었다. 다음 날 우리는 새벽 햇살을 받으며 산길을 내달렸고 그날 오후 정동진에 도착할 수 있었다. 물론 우리가 예상했던 일정보다 더 오래 걸렸지만, 중간 포기자 없이 목표한 곳에 도착했다.

한참 시간이 지난 후 지도 어플로 찾아보니, 우리가 누웠던 공터 같은 곳이 아마도 대관령 양떼 목장쯤이었던 것 같았다. 대관령을 그 약한 자전거와 나약한 다리로 올랐으니 힘들고 고단한 건 당연했다.

지금도 가끔 그날 일이 떠오른다. 우리가 오르는 곳이 대관령이라는 걸 알았다면 어떻게 했을까? 오르던 중간에라도 그 산의 크기를 제대로 봤다면 어땠을까? 해 질 녘에 출발해 새벽까지 올라야 겨우 쉴 곳이 있다는 걸 알았다면? 그랬다면 과연 오를 수 있었을까?

우리가 캄캄한 밤에 오르는 곳이 대관령이라는 걸 알

았다면 무조건 힘들겠다는 생각부터 들었을 거다. 지레 겁을 먹었을 수도 있고 스스로 한계를 정하고 어디까지만 오르자고 했을지도 모른다. 아니, 어쩌면 그냥 뒤돌아섰을지도 모른다. 하지만 펼쳐질 일의 어려움을 몰랐기 때문에 할 수 있었다.

이따금 전혀 모르는 일을 시도할 때마다 대관령을 자전거로 넘었던 그 시간을 떠올린다. 대관령처럼 만만한 높이가 아닌 산을, 오래된 자전거로 오르는 건 힘든 일이다. 하지만 올라보지 않으면 알 수 없는 것도 있다. 오르고 나서야 엄청난 것을 뛰어넘는 순간을 맞이할 수 있다. 높은 곳을 넘고 난 뒤에는 쉬운 내리막길을 마주할 수 있다는 기대도 생긴다.

서쪽에서 동쪽으로 향하는 길목에서 많은 도움을 받았다. 중간에 길을 잃을 때 모르는 사람들에게 길을 물었고, 한 번은 작은 트럭으로 우유 배달을 하는 분이 우리 넷과 자전거를 태우고 길을 찾아주기도 했다. 운이 좋았다는 말로는 부족할 만큼의 행운이 따랐다.

내가 뭔가를 새로 시작하는 걸 무서워하지 않는 것도 어쩌면 이런 일들이 쌓인 덕분 아닐까 하고 생각한다. 일단 시작만 하면 끝은 온다. 꼼꼼한 계획도 좋지만 때로는 단순무식 정신으로 무장하면 어려운 일도 제법 가볍게 넘어갈 수 있다.

나의 마음을 돌보는 건 오롯이 나여야 하니까

얼이와 길게 만나는 동안 주변 친구들이 나에게 연애 상담을 요청한 적이 많았다. 결혼하기 전에도 우리는 한 번도 헤어진 적 없는 장기 연애 커플로 유명했으니, 연애 고민에 조언을 구했다. 구독자들과 다양한 채널에서 소통하는 지금은 DM으로 다양한 연애 고민이 온다.

"전 남자친구한테 연락하고 싶어요."
"좋은 사람을 만나고 싶어요."
"인생 가치관이 비슷한 사람을 만나고 싶어요."
이러한 메시지를 받으면 늘 해주는 이야기가 있다.

"일단 자기 혼자 행복해져 봐! 혼자일 때 행복한 사람이 둘이 되어도 행복할 수 있어!"

라이브 방송을 진행할 때도 연애에서만큼은 호되게 이야기한다. 타인은 내가 될 수 없고, 오롯하게 나 자신으로 사는 게 가장 중요하니까! 내가 얼이를 마음 다해 사랑할 수 있는 건, 나 자신을 사랑하기 때문이다. 얼이를 나보다 더 중요하게 여기고 나의 미래, 의견, 개성을 완전히 무시한다면 그건 사랑이 아니다.

많은 사람이 관계 속에서 자기 자신을 잃어간다. 타인과의 관계에서 계속 좋은 사람으로 보이고 싶어 하고, 사람들이 나를 찾도록 만들기 위해 애쓰고, 일종의 애정 결핍을 느끼고 타인을 통해 스스로의 존재를 확인하려고 한다. 이런 게 좋다고 여기는 사람은 아무도 없을 것이다. 하지만 현실에서는 또 쉽게 망각한다.

'나는 나다.'

그런데 특히나 남녀관계에서 이 중요한 문장을 잊어버린다. 관계를 유지하고 상대에게 잘 보이기 위해 자기 자신을 희생하는 사람은 매력적이지 않다. 상대에게 과하게 자신을 봐달라고 아우성치고 애정의 요구가 커지면 커질수록 더욱 그렇다. 특히나 잘못된 연애에 상처받아 나에게 메시지를 보내는 구독자에게 나는 이렇게 말한다.

"잠수 이별하는 미친 X를 자기 인생에서 걸러냈으니 너무 다행이다. 헤어진 그 사람을 미워하는 데 에너지 쓰지 말고 행복해질 방법에 에너지를 쓰자! 조금만 울고 밥 맛있는 거 챙겨 먹어!"

권태기라는 것도 마찬가지다. 우리가 장수 연애 커플이다 보니, 어떻게 권태기 없이 오래 사귀었는지 물어보는 사람이 많다. 간단하다. 서로에게 소홀할 때를 돌이켜보면 정말 서로가 싫어서인 적이 없다는 걸 알기 때문이다.

개인사로 머리가 아프고, 일로 스트레스받을 때도 냉정하게 생각했다.

'지금 내 마음이 싱숭생숭한 이유는 외부에서 온 일들 때문이지 결코 얼이 때문이 아니다.'

다행히 얼이도 나와 연애하면서 일과 외부적인 문제로

힘든 일이 닥쳐도 그 일을 나와의 문제로 엮어 생각하지 않았다.

장기 연애를 하며 느낀 건 연애는 인생과 비슷하다는 것이다. 인생에 늘 좋은 때만 있지는 않다. 너무 좋은 때가 있다가도 안 좋은 시기가 오기 마련이고, 안 좋은 때가 지나가면 좋은 때도 온다.

이런 인생을 파도 같다고 표현하는데 연애도 마찬가지다. 아무리 사랑하는 사이라 해도 어떻게 늘 좋기만 할까? 조금 잔잔할 때도 있고 거친 파도가 몰아칠 때도 있다. 모든 게 강약강약, 단짠단짠이라는 걸 받아들이면 어떤 상황도 자연스럽게 느껴진다.

둘의 신뢰가 충분하다면 모든 상황을 자연스럽게 받아들이게 된다. 상대 마음이 변했다는 섭섭한 마음이 들기 전에 '아, 오늘은 기분이 별로구나?', '바쁘다더니 그런가 보네' 하며 넘어갈 수 있다.

친구들에게도 연애 상담을 해줄 때 매번 하는 이야기가 있다. "연애할 때 이 생각이 들면 '나 쓸데없는 생각 중

이네?' 하고 그냥 넘겨"라고. 여기에서 말하는 '이 생각'은 바로 '우리 사이가 어쩌다 이렇게 됐지?'이다.

자꾸만 없는 원인을 찾아 헤매게 만드는 주문이다. 사실 실제로는 아무런 문제가 없을 가능성도 크다. 그저 지금 내 기분이 별로여서일 수도 있는데, 모든 상황을 사랑이 식었다는 말로 억지로 퍼즐을 맞춘다. 그러면 상대의 모든 행동이 사랑이 식어서 하는 행동이라고 읽게 된다. 이렇게 되면 아주 쉽게 둘 사이가 악화한다.

이럴 땐 차라리 둘의 관계에 집중하지 말고 오롯이 나에게 집중하는 시간을 보내면 좋다. 그러면 흘러가는 시간만큼 자연스럽게 문제가 해결될 수 있다. 평소 못 만났던 친구를 만나고, 혼자 카페 가서 책도 읽어보고, 내가 좋아했던 취미 생활을 즐기다 보면 둘 사이가 언제 그랬냐는 듯 다시 좋아질 가능성이 크다. 상대가 아니라, 내 감정이 문제였다는 걸 알아차리기 위해서라도 자신을 챙겨주는 시간이 필요하다.

그래서 더더욱 연애할 땐, 자기 마음과 생각에 더 집중하라고 강조한다.

"자기들 상대에게 집중하지 말고 자신에게 집중해! 자기에게 집중하는 시간을 가지면 모든 일은 자연스럽게 해결됩니다!"

다급한 마음이 불러온 참사

좋아하는 것들이 있으면 빡빡한 일상에 활력소가 된다. 나는 스트레스와 분노, 불안을 잠재우고 싶을 때 배드민턴을 한다.

하지만 그보다 더 빠르게 빠진 스포츠가 있다. 그건 바로 야구다. 나는 지독한 키움 히어로즈의 팬이다. 야구 시즌에는 티브이를 거의 끼고 있을 정도라, 내가 야구를 좋아한다는 건 내 주변 사람들이 전부 다 알 정도다.

아버지가 기아의 열렬한 팬이라 어릴 때부터 야구에 익숙했다. 하지만 본격적으로 좋아하는 팀을 만들고 빠지기 시작한 건 2020년 음미와 야구장 데이트를 하면서

부터다. 짜릿한 역전 승부를 눈앞에서 보니 야구가 완전 다르게 보였다. 그 이후로 야구에 관심을 갖고 키움 히어로즈라는 팀에 푹 빠지게 됐다.

키움 히어로즈는 한 문장으로 표현할 수 있는 야구팀이다. 흙수저 팀이자 자수성가 팀. 원래 스포츠의 묘미는 언더독의 반란 아니던가. 그렇게 히어로즈에 빠지게 되었다. 그 후로 나는 입버릇처럼 말했다.

"난 유명해지면 꼭 시구할 거야!"

야구 시구는 나의 버킷 리스트 중 하나였다.

그러던 2023년 3월 운명의 DM이 왔다.

"안녕하세요, 키움 히어로즈의…."

"아아악!"

메시지를 읽자마자 냅다 소리를 질렀다. 영상마다 은근히 야구를 좋아한다는 정보를 흘려둔 덕분이었을까. 내가 좋아하는 키움 히어로즈 경기에 시구, 시타자로 우리를 초대한다는 내용이었다. 늘 내가 꿈꾸던 일인 만큼 완벽하게 해내고 싶었다. 남은 시간은 2주. 급하게 가까운 야구 아카데미에 등록해 매일 열심히 연습했다. 무려

100만 원의 비용을 내면서 말이다.

매일 선수의 마음이 되어 훈련에 훈련을 거듭했는데, 생각지도 않았던 곳에서 문제가 발생했다. 바로 어깨. 배드민턴을 할 때도 뻐근했던 어깨에서 통증이 시작된 것이다. 어쩔 수 없었다. 시구 훈련만 해도 부족한 시간을 쪼개고 쪼개 병원을 찾았다.

그리고 어깨회전근개파열이라는 진단과 함께 하루빨리 치료가 필요하다는 소견을 들었다. 평소 안 좋던 어깨였는데, 매일 어깨를 돌려대니 망가질 수밖에. 그렇게 총 2백만 원어치 시구가 되었다. 하지만 이깟 고통과 병이 나를 막을 수는 없었다. 우선 등록한 일정만큼 야구 레슨을 소화하고 병원 치료를 시구가 끝난 뒤로 미뤘다.

드디어 대망의 시구 날이 됐다. 보통 시구자는 선수가 공을 던지는 마운드보다 더 앞에 서기 마련이다. 평소 공 좀 던져본 사람이 아니라면 공이 홈플레이트까지 날아가지 않기 때문이다. 하지만 그날의 온도, 습도, 공기마저 내 편인 듯 컨디션이 좋았고, 시구 전 선수들과 공을 주고받을 때 마운드에서 던져도 충분할 거라는 응원에 취해 당당하게 마운드에 섰다.

'나는 할 수 있다. 나는 할 수 있다.'

머릿속에는 계속해서 같은 말만 떠올랐다. 김동헌 선수가 내 공을 받기 위해 홈플레이트 안쪽에 자리 잡았고 그 앞에는 음미가 야구 배트를 들고 있었다. 긴장감이 감돌았지만 무려 2주 동안, 어깨회전근개파열 진단을 받고도 버텨준 어깨가 있으니 무섭지 않았다.

드디어 시작 사인을 받고 공을 던지는 순간…! 공은 포수와 음미 방향이 아닌 엉뚱한 방향으로 포물선을 그리고 있었다.

'아뿔싸!'

다행히도 김동헌 선수가 공이 떨어지는 방향으로 움직여 받아준 덕분에 무탈한 모양새로 끝이 났다. 하지만 나중에 끝나고 우리의 시구, 시타를 살펴보고 나는 엉뚱한 곳으로 공을 던지고 음미마저 배트를 반대로 잡는 실수를 저질렀다는 걸 알게 됐다. 내 버킷 리스트 중 하나였던 시구는 우당탕탕 에피소드로 남았다.

생각해보니, 이렇게 다급한 마음에 중요한 일을 어설프게 끝내게 된 게 한두 번은 아니었다.

오래전 개그우먼 김신영 선배 아래에서 개그를 짤 때였다. 좋은 아이디어를 짜고, 재미있는 코너를 만들면 무대에 올라 개그 공연을 할 수 있었다.

얼른 통과될 만한 아이디어를 짜고 완벽한 무대를 만들고 싶었다. 잠도 잘 수 없었다. 하루에 세 시간만 잠을 잤고 일어나면 곧바로 개그를 짰다. 그렇게 사흘째 되는 날, 자고 일어났는데 몸이 이상했다.

'오늘 컨디션이 별론데?'

그저 단순하게 생각하고 화장실에 들어가 얼굴을 봤는데, 이럴 수가! 얼굴 한쪽이 마비된 것처럼 전혀 움직이지 않았다. 얼굴을 이리저리 찡그리고 입을 벌려보며 별걸 다 해봤지만 오른쪽은 겨우 약간 움직일 뿐이었다. 그랬다. 흔히들 '구안와사'라고 부르는 안면신경마비가 나타난 것이었다. 병원에서는 뚜렷한 원인을 알 수 없지만 보통은 극심한 스트레스와 과로에서 비롯된다고 했다.

우선 신영 선배에게 가서 상황을 설명했다.

"한얼아, 스트레스 많이 받지 말고 우선 쉬도록 하자. 일주일 정도 쉬면 괜찮지 않을까?"

신영 선배의 배려심 담긴 말이 고맙기는 했지만 마음이 싱숭생숭하고 조급해졌다.

'일주일이나 쉬면 개그는 어떻게 짜지?'

다른 친구들에게 뒤처질 것만 같아 마음 편히 쉴 수 없었다. 쉬는 게 더 힘들다면서 나는 계속해서 연습을 강행했다. 그러고는 신영 선배에게 개그를 보여줘야 하는 당일. 그간 갈고 닦은 실력을 뽐냈다. 선배는 내 개그를 보고 놀라 외쳤다.

"야, 징그러워! 하지 마."

그랬다. 이번 무대에 모든 것을 바치고 싶었던 나는, 움직이지 않는 한쪽 얼굴을 이용해 지킬 앤 하이드 박사라는 콘셉트로 개그를 짰던 것이다. 안면신경마비를 개그로 승화시키려는 전략이었지만, 처참한 결과를 마주했다.

나는 무모할 정도로 열심히 한 순간이 많았다. 그 노력이 나에게 좋은 결과를 가져다준 적도 많았지만, 가끔은 남들이 뜨악할 정도의 상황을 만들었다. 안면신경마비로

쉬어야 하는 몸이었는데도 오히려 그걸 이용한 개그를 만든 것도 그렇고, 야구 시구자로 나설 때는 나쁘다는 걸 뻔히 아는 어깨를 무리해서 사용한 것도 마찬가지다.

그 이후로는 정말 좋아하는 일을 앞두고 마음속으로 되뇐다.

'한 번에 한 끼만! 한 번에 열 끼를 먹다 탈 난다!'

움직일 것. 다만 적당히

누군가 어떤 사람과 연애를 해야 하느냐고 물어오면 늘 하는 말이 있다. 말이 잘 통하는 상대가 최고라는 것(사실 이건 너무 기본값이다).

하지만 평생 말만 하고 살 수는 없지 않은가. 그러니 한 가지 더하라. 바로 같은 취미를 함께 할 수 있는 상대를 만나는 것. 특히나 나와 음미는 움직이는 걸 좋아해서 함께 이 운동 저 운동 옮겨가며 함께 취미 생활을 즐겼다.

함께 땀을 흘리고, 서로의 실력을 한 단계씩 끌어올리는 운동은 분위기 좋은 카페에 가고 맛있는 음식을 함께 먹는 것과는 또 다른 장점이 있다. 운동을 하면 일상에서 쌓인 스트레스를 풀고 긴장된 몸의 힘을 뺄 수 있을뿐더러 건강에도 좋으니 일석이조인 셈이다.

다행히 음미도 운동을 좋아해 둘이 할 수 있는 운동이 있으면 늘 함께했다. 함께 운동을 하며 겪은 에피소드는 셀 수 없이 많다.

우리가 처음 시작한 운동은 볼링이었다. 친한 친구 여럿이 함께 시작했으니 매일이 전쟁 같은 게임의 연속이었고, 그게 또 재미있을 수밖에 없었다.

거의 매일 출근 도장을 찍듯 볼링장을 다녔지만, 우리의 열정과는 다르게 생각보다 쉽게 식어버렸다. 많은 친구와 게임처럼 시작한 탓이었다. 여덟 명이 함께 시작한 운동이었지만 한두 명씩 시간이 안 맞아 빠지면서 자연스럽게 멀어지고 말았다.

다음 운동으로 선택한 건 배드민턴이었다. 배드민턴은 우연히 접하게 됐는데 보통 이상의 재미를 느꼈다.

그저 가벼운 셔틀콕을 주고받는 게임이 배드민턴이라고 생각하면 단단히 큰 오해다! 쏜살같이 넘어오는 콕을 받아쳐 상대의 빈틈에 꽂아두는 전략이 필요하다. 게다가 구기 종목 중 가장 빠른 운동인 배드민턴은 콕을 낚아채기 위해 쉴 새 없이 발을 움직여야 하는, 활동량이 매우 많은 운동이다.

재빠른 움직임과 전략이 주는 쾌감은 안 해본 사람은 절대 모른다. 하지만 해본 이상은? 절대 빠져나갈 수 없는 매력에 사로잡힌다.

처음 배드민턴을 시작하겠다고 마음먹고 체육관을 갔을 때가 잊히지 않는다. 코트를 가득 채운 사람들은 도대체 몇 년을 수련했는지 모를 정도로 날렵하게 콕을 넘겼다. 꽂히면 끝장을 보고야 마는 내 성격에 그냥 왔다 갔다 할 수만은 없었다. 당장 레슨을 신청하고 몇몇 자세를 배워가던 어느 날… 코로나가 터졌다.

이제 막 재미를 느끼기 시작했는데, 모든 체육 시설이 닫히고 레슨도 막혔다. 답답한 노릇이었다. 어쩔 수 없이 그나마 열린 사설 체육관을 돌며 목표 없는 맹연습에 돌입했다.

다행인 건 끝이 없을 것만 같던 코로나 팬데믹이 끝나

고 레슨도 다시 시작됐다는 거다. 그렇게 다시 배드민턴에 열중하게 됐는데, 어깨가 살짝 삐그덕거리는 느낌이 나더니 팔을 들어 올릴 때마다 통증이 느껴졌다. 처음 배드민턴을 시작할 때 제대로 레슨 받지 못한 탓이었다.

모든 운동은 정확한 기본자세가 절반이다. 그런데 이래저래 안 좋은 자세로 혼자 오래 치다 보니 몸에 곧바로 신호가 왔다. 하지만 그 모든 무리를 감당하면서도 나는 병원에도 안 간 채 꾸준히 배드민턴을 쳤다.

진짜 문제는 그때부터였다. 키움 히어로즈 야구 시구자로 나서기 위해 야구 레슨을 받았고… 잘하고 싶다는 욕심에 또 무리를 하고… 야구 배트를 열심히 휘두르다 완벽하게 다른 통증을 느꼈고… 결국 정형외과에서 어깨회전근개파열이라는 진단을 받고 말았다.

'그저 어깨가 약간 불편하겠지'라고 생각하면 큰 오산이다. 어깨회전근파열은 저절로 회복되지 않는다. 게다가 어깨를 최대한 안 쓰려 노력해도, 일상생활에서 어깨를 안 쓴다는 건 불가능에 가까웠다. 티셔츠를 입고 벗는 순간마저도 고통이 따랐다. 게다가 배드민턴 레슨을 시작한 뒤로는 우승이라는 구체적인 목표가 생긴 탓에 치료가 시급했다.

나름 유명하다는 병원을 찾았다. 음미와 함께 인터넷을 뒤지고 뒤져 많은 운동선수가 즐겨 찾는다는 유명한 병원을 찾아냈다. 겨우 예약을 하고 갔더니, 아니나 다를까 알 만한 운동선수들 사진이 잔뜩 걸려 있었다. 믿을 만하다는 생각과 함께 진료를 받으러 들어갔다.

"회전근개파열이라고요?"

"네, 제가 운동을 좀 해서…."

"아, 운동하시는 분들 저희 병원 많이들 오시죠. 혹시 어떤 운동을 하시는지…."

"네, 배드민턴을 합니다."

그러자 대뜸 의사가 물었다.

"어디 소속이세요?"

그렇다. 일반인이 어깨회전근개파열이 이토록 심해질 때까지 운동할 리 없다는 것이 담당 의사의 판단이었고 의사는 당연히 내가 프로팀에 소속된 선수일 거라 생각한 것이었다. 나는 창피해서 웃었고 의사는 당황스러워서 웃었다.

운동을 하며 이래저래 다치기도 하고 병원에 오가야 하는 일도 많이 생겼다. 승부욕 때문이라기보다는 움직이며 솟구치는 엔도르핀을 과하게 즐긴 탓이다. '적당히'가 어려워 매번 일이 생기지만, 나는 여전히 많은 사람에게 운동을 추천한다. 이왕이면 연인과 함께하라고. 다만 제대로 배워서 아프지 않게 오래 하는 데 최선을 다하라고 말한다.

매번 다치면서도 운동을 하고 추천하는 이유는 운동은 답답한 일로 가득 찬 뇌를 비우는 최고의 방법이라고 생각해서다. 일상이 무료하다면, 일과 관계에서 피로해졌다면, 어쩔 수 없이 해야 하는 일에 파묻혀 마음이 답답하다면 일단 몸을 움직이자. 다만, 부탁한다. 제발 적당히!

개그맨 공채 7전8기

개그맨 공채를 준비하며 온몸에 이른바 '개그맨 피'를 흐르게 하기 위해 무진장 노력했다. 먹고 씻는 시간에도 온통 콩트만을 생각했고 잠마저 줄여가며 아이디어를 쥐어짰다.

이때 다양한 코너 아이디어를 선배와 프로그램 담당 PD들에게 보여주면서도 해프닝이 많았다. 다시 공채를 보겠다는 마음으로, 아직도 생생하게 기억나는 콩트 두 가지를 책에 소개하고자 한다.

첫 번째 콩트 제목은 〈초딩 커플〉로, 열 살 남학생과 열

두 살 여학생의 연애가 중심 이야기다. 분위기 있게 와인 잔에 요구르트를 따라 마시는 둘. 둘은 와인 잔을 부딪히며 건배사를 외친다.

"받아쓰기 100점을 위하여~!"

하지만 이 둘의 헤어짐은 예정되어 있었다. 연애보다 더 중요한 학습지 선생님 방문 시각. 그렇게 아쉽게 이별을 하게 되는 두 초등학생의 연애사로, 특히나 S사 PD님이 엄청나게 좋아해줘서 기억에 남는다.

"이거 그대로 공채 보면 무조건 합격할 거야"

이만한 특급 칭찬은 아무나 들을 수 없었다. 자신감이 솟구쳤다. 그대로 믿고 S사 공채에 도전했다면 좋았을 텐데, 세상 무서울 게 없었던 스물한 살 김한얼은 K사도 좋아할 거라며, 그 자신감 하나로 오로지 K사 시험에만 응시했다.

그렇게 5년 동안 딱 다섯 번 고배를 마신 뒤에야 S사 시험을 안 본 걸 땅을 치고 후회했다. (〈인터스텔라〉의 한 장면처럼 과거의 나에게 외치고 싶다. "제발! 제발! 까불지 말고 S사 시험 봐! 인마!")

마지막으로 도전한 콩트는 더 기억에 남는다. 네 번째 떨어질 때까지 나는 K사 개그맨 공채의 합격 공식이라고 알려진 방식에 매달렸다. 똑같은 개그맨 공채라도 방송국마다 추구하는 합격 기준이 달랐다. 특히 내가 꾸준히 도전했던 K사는 연기력을 중요시한다는 소문이 있었다. 그래서 매번 나름의 합격 공식을 따르면서 시험에 임했다.

하지만 다섯 번째는 정말 마지막이라는 간절한 마음으로 내가 잘하는 방식으로 콩트를 짰다. 형제 보험사기단이 교통사고를 내고 많이 다친 척 연기해 합의금을 받으려는 시나리오였다. 나는 형 역할을 맡았다.

"야, 모퉁이에서 차가 오면 내가 받히는 척 연기를 할 거야. 그때 와서 화를 내고 합의금을 크게 제시해야 해. 한 번에 잘 끝내보자."

"알겠어, 형. 나만 믿어."

그렇게 지시하고 동생이 잠깐 한눈판 사이 뒤에 오는 차에 받혀서 크게 다치는 상황이 연출된다. 이때 내가 동생 역을 맡은 파트너에게 말한다.

"야… 나 좀 도와줘."

잠깐 어리둥절해하는 동생.

"형, 벌써 시작한 거야? 근데 연기가 왜 이렇게 완벽해. 진짜 다친 줄 알았잖아."

쓰러져 있는 내가 힘겹게 "야, 진짜야. 연기 아니라고!"라고 하지만 눈치 없는 동생은 신이 나서 말한다.

"형, 너무 체질이다. 너무 진짜 같아. 대박이다! 이게 통하네. 우리 얼마 받아야 해? 나 얼마 불러? 얼마 부를까?"

답답하고 아픈 내가 울먹이며 말한다.

"이 자식아, 119를 불러!"

동생은 끝까지 모르고 나는 끝까지 답답해하며 힘들어하는 내용의 개그였다.

이 개그로 방송 무대에 오르는 게 꿈이었지만 번번이 떨어지는 바람에 그 꿈은 이루어지지 않았다. 하지만 이렇게 글로 늘어놓는 것만으로도 무대에 오른 기분이다.

그 당시엔 정말 그 꿈이 아니면 안 될 것만 같았다. 꿈을 향한 노력에 모든 시간을 쏟았고 다른 건 눈에 보이지 않았다. 그런데 지금은 그렇지 않다. 많은 개그 프로그램이 폐지되고 공채가 사라져서는 아니다. 이제는 나를 충분히 보여줄 곳이 생겼고 응원해주는 구독자들이 있기 때문이다.

가끔 그런 생각이 든다. 지금의 얼미부부가 되기 위해 그토록 지난한 시간을 보냈던 게 아니었을까? 그리고 열심히 짠 콩트를 방송국에서 선보일 순 없었지만, 콩트를 짜면서 생긴 에피소드들이 지금 구독자에게 재미를 줄 수 있는 소재가 된 게 아닐까?

"슬픔은 영원할 수 없다."

이 말이 피부로 와 닿기까지 많은 시간이 걸렸다. 하지만 이 책을 읽는 누군가에게도 꼭 해주고 싶은 말이다. 도전에 거듭 실패해도 괜찮다. 내가 통과하는 모든 시간과 사건이 언젠가 귀한 기회를 가져다줄 것이다.

♦ 막간 에피소드 3 ♦

진정한 사랑은 상대가 온전히 마음 놓고 행복할 수 있게 만들어주는 것이다.
나는 그걸 잘 안다. 앞서 소개한 〈날마다 개그 콘테스트〉(55쪽)에서의 '해변의 동전 줍기' 에피소드도 목적은 단 하나였다. 오로지 음미를 행복하게 해주기 위해서. 조금 더 기쁘게 오늘을 보냈으면 하는 간절한 마음이었다. 하지만 그날 음미는 정말 단단히 화가 났다.
(음미 시점: 그건 네가 재미있으려고 한 거잖아!)

그날도 음미는 해변에 무대를 설치했다.

행복 레벨업

건강한 자존감 만들기

과거의 나는 "여긴 어디, 나는 누구?"라는 심정으로 모든 일이 어렵게만 느껴졌어. 그러다가 다양한 책을 읽고 많은 아르바이트로 사회를 경험하고 다양한 사람을 만나면서 자연스럽게 '나다움'에 대해 깨달은 것 같아. 그 시간을 다 통과하고 나니 그게 바로 건강한 자존감을 얻게 된 계기가 되었더라고.

'자존감'이라는 말을 정말 많이들 쓰지만 자기애나 자신감과 헷갈리기도 하고, 자존감을 도통 어떻게 끌어올려야 할지 모를 거야.

나도 사람인지라 자존감이 항상 높지만은 않아! 어떨 때는 자존감이 뚜욱 하고 떨어져서 다시 찾아오기 바쁘다니까. 그럴 때마다 내가 쓰는 방법이 있어. 정말 자존감을 되찾아 와야 한다고 느낄 때, 내가 알려주는 방법을 써봐!

1. 내가 멋지다고 생각하는 사람의 특징을 쓰기.
   10개든, 20개든, 30개든 쓸 수 있는 만큼 써보자.

(참고) 나는 대략 32번까지 적은 적이 있는데, ① 다정한 사람 ② 책 많이 읽는 사람 ③ 꾸준히 운동하는 사람 (이런 방식으로 간단한 것부터 시작해) ④ 꿈이 있는 사람 ⑤ 자기 일에 대한 철학이 있는 사람…. 이렇게 폭넓게 정리한 적이 있어.

2. 쓴 특징을 차근차근 하나씩 실천하기.
   번호대로 해도 좋고 번호를 무시해도 상관은 없어. 하지만 내가 멋지다고 생각하는 사람을 명확하게 알고 완벽하게 따라할 순 없더라도, 조금씩 노력할 때 스스로를 노력하는 사람, 괜찮은 사람이라고 인식하게 될 거야. 그러면 자존감을 숙제처럼 느끼지 않아도 자연스럽게 올릴 수 있어.

3. 단 멋지다고 생각하는 사람의 모든 것이 나에게 잘 맞는 건 아닐 거야. 그 사람의 특징들 중 나에게 가장 잘 맞는 것을 찾는 것, 그게 가장 중요해!

자기들의 이야기

자존감 키우는 방법 따라 하기

답답하고 힘들 때, 특히나 내 자존감을 도둑맞았을 때, 내가 멋지다고 생각하는 사람들의 특징을 이곳에 써보자. 내가 되고 싶은 사람의 모습을 떠올리면서 닮고 싶은 점들을 써보고 따라 해보는 거야. 작심삼일도 괜찮아. 나흘째에 다시 마음을 다잡으면 되니까.

4부

명랑한 얼굴로 오늘의 기쁨을 함께 누리는 방법

사랑의 방식은 모두가 다르다

연애 초반 대부분의 커플이 싸움을 거듭하는데 그 많은 싸움의 원인을 보면 이 한 가지 이유는 꼭 껴 있다.

'내가 널 사랑하는 것에 비하면 넌 날 덜 사랑하는 것 같아.'

우리도 마찬가지였다. 지금은 서로를 너무 잘 아는 덕에 싸움도 전혀 없고, 오래 함께 지내서 크게 다퉜던 기억도 미화될 정도의 사이지만, 흔한 커플들이 하는 다툼은 있었다. 한때는 잠깐이나마 얼이가 나를 덜 사랑한다고 생각했던 것도 같다. 하지만 어느 책을 읽고는 그 생각을 아예 지우게 됐다.

어느 날 서점에 갔다가 우연히 발견한 『5가지 사랑의 언어』(게리 채프먼 저, 생명의말씀사)라는 책이다. 사랑의 언어가 뭘까 싶은 마음에 책을 펼쳤다. 책에서는 서로가 사랑의 마음을 가득 채우기 위해서는 상대의 제1의 사랑의 언어를 알아야 한다고 했다. 그리고 본인의 제1의 사랑의 언어 또한 알아야 상대와의 관계를 건강하고 행복하게 이어 나갈 수 있다는 내용이었다.

나라마다 모국어가 따로 있듯이 사랑을 하는 개인에게도 사랑의 모국어가 있다. 이 언어는 가까운 연인이라 해도 다를 때가 많아서 소통이 어렵다고 했다. 책에서 소개한 모국어는 ① 인정하는 말, ② 함께 있는 시간, ③ 선물, ④ 봉사, ⑤ 스킨십, 이렇게 다섯 가지다. 이 모국어는 각자가 바라는 사랑의 방식인 셈이다.

예를 들어, A라는 사람은 누군가를 좋아하면 사랑한다는 뜻으로 상대를 '인정해주는 말'을 계속해주는데, B라는 사람의 사랑의 언어는 '선물'이라서 계속 선물만 주고 인정해주는 말은 안 해주니 상대방은 섭섭함을 느낀다.

A는 계속 상대에게 인정해주는 말을 하면서 자신에게도 그 말이 돌아오기를 바라고 기다린다. 하지만 B가 아

무것도 모른 채 (자기의 사랑의 언어인) 선물만 주면, 마음에서 나쁜 생각이 불쑥 솟는다.

"나를 덜 사랑하나?"

그렇게 서로 사용하는 사랑의 언어가 다르다 보니 싸움이 일어난다.

'앗, 어쩌면 우리가 싸우는 이유도 이런 게 아닐까?'

나는 책을 덮고 곧바로 얼이를 만나서 만나 책 내용을 알려줬다. 그리고 물었다.

"얼아, 이 다섯 가지 중 너의 사랑의 언어는 뭐야?"

"난 스킨십. 넌?"

역시나 우리 둘의 사랑의 언어는 너무나도 달랐다.

"나는 선물이야."

생각해보니 그랬다. 얼이가 친구들이랑 대학로를 걸어가다가 길거리 상점에서 파는 귀걸이가 나랑 잘 어울릴 것 같다며 선물해준 적이 있었다. 10년이 지난 지금도 여전히 그날이 아주 생생하게 기억날 정도로 당시에 큰 감동을 받았다.

또한 내 사랑의 언어가 선물이다 보니, 얼이가 휴가를 나올 때마다 계절에 맞춰 옷을 선물해줬다. 나름 여러 아르바이트를 전전하며 어렵게 번 돈으로 그에게 사랑을 선물했던 거였지만, 얼이에게는 옷보다는 스킨십이 더 사랑을 표현하는 언어였다.

서로가 다른 모국어로 자신의 사랑을 말하고 있다는 걸 깨닫고 나니, 얼이와의 다툼이나 내 마음의 섭섭함을 조금 다르게 받아들일 수 있었다.

이 사랑의 언어가 다르다는 걸 깨닫는 것이 연인 사이에서는 무척 중요하다. 그러면 사랑의 소통에 오류가 적어지고 다툴 일도 줄어들기 마련이다. 이 책을 읽은 뒤 주변 친구 커플에게도 많이 알려줬는데, 모두가 너무 많은 도움을 받았다고 했다.

그런데 곰곰 생각해보면 이런 방식은 인간관계에도 적용된다. 다들 친구나 가족, 주변 사람에게 마음과 애정을 표현하는 방식은 다르다. 그럴 때 그 방식을 자기 기준으로 판단하고 잘못됐다고 여기면 결코 상대를 이해할 수 없게 된다.

'아, 저 사람은 애정을 저렇게 표현하는구나.'

이렇게 생각하면 이해하는 부분이 훨씬 더 커지기 마련이다. 내가 누군가를 존경하는 마음을, 누군가를 사랑하는 마음을 하트로 표현하면 상대도 꼭 하트로 돌려줄 거라고 여겨서는 안 된다. 상대는 별 모양, 클로버 모양, 고양이 발바닥 모양 등 자기만의 모양으로 나에게 전해 줄 수도 있다. 이렇게 서로가 다른 방식으로 생각하고 마음을 전달한다는 사실을 아는 것만으로도 연인 관계는 물론, 그 너머의 인간관계에도 큰 도움이 될 것이다.

어디서든
나눌 수 있는 마음

음미와 해외여행으로 보라카이에 갔을 때다. 이왕 멀리 나간 곳에서 이른바 '호구 안 잡히고' 잘 놀고 오기 위해 여행 카페란 카페는 샅샅이 뒤졌다.

보라카이에서는 카약을 타야 한다는 후기가 많았다. 그런데 사람들 후기를 보니, 이래저래 두세 배 넘는 금액을 주고 타서 억울하다는 글이 줄을 이었다. 몰랐으면 모를까 이 사실을 알게 된 이상 제대로 된 금액으로 잘 놀기 위해서 음미와 카페 후기를 탈탈 털었다.

"얼아, 이거 봐봐. 에피를 찾아야 한다는데?"

"어? 에피?"

카페 글을 찬찬히 살폈다. 에피는 카약 대여 업체 직원의 이름이었고 그를 통해 예약을 하면 적절한 가격에 카약을 빌리는 건 물론이고 제대로 즐길 수 있는 스팟까지 잘 알려준다는 내용이었다.

"그럼 가서 에피부터 찾자. 업체에 가서 물어보면 알려주겠지!"

그저 단순하게 생각했던 우리의 생각이 뒤집힌 건, 카약을 빌리기 위해 대여 업체가 모여 있는 장소에 갔을 때였다. 보라카이 하면 카약이라는 정보에 알맞게 수많은 업체와 그보다 더 많은 업체 직원이 모여 있었는데, 어림짐작으로도 2백 명은 되어 보였다.

"에피?! 에피?"

'에라 모르겠다'라는 심정으로 무작정 이름을 불렀다. 그러자 희한하게도 모두 자기가 에피라고 하면서 인사를 건네는 게 아닌가.

"하이! 아이 엠 에피!"

수십 시간을 조사해서 찾은 이름인데, 이렇게 쉽게 포기할 수는 없었다. 한국에서 본 카페 글에 에피와 함께 찍은 사진도 올라와 있었던 게 번뜩 생각났다. 다시 글을 찾아서 에피 얼굴을 확인하고 직원들의 얼굴을 하나씩 대조했는데… 그래도 2백 명 중에 그 얼굴을 찾는 건 불가능에 가까웠다.

음미와 내가 지쳐갈 때쯤이었다. 사진 속 에피와 비슷한 체격, 복장을 한 남자가 눈앞으로 쓰윽 지나가는 게 보였다.

"혹시… 에피?"

반사적으로 무작정 이름을 불렀는데 그 남자, 뒤돌아 우릴 보며 씨익 웃음을 날렸다. 보라카이의 햇살만큼 환한 표정의 주인공이 정말 에피였다! 사막에서 바늘 찾기, 서울에서 김 서방 찾기와 같은 어려운 문제를 단숨에 해결했다.

그렇게 에피에게 카약을 빌리게 됐는데, 정말 왜 다들 보라카이에서는 에피를 찾으라고 했는지 알 것 같았다. 우리에게 저렴하게 카약을 빌려줬을 뿐만 아니라, 카약

외에 다른 장비들도 빌려주며 함께 바닷가를 즐겼다. 처음 온 우리가 생각할 수 없었던 모든 것을 에피 덕분에 누릴 수 있었다.

함께 시간을 보내고 너무 친해진 나머지 우리는 서로의 인생 이야기도 나누게 되었는데 에피는 사장이 돈 너무 많이 떼어간다고 욕을 하기도 했다(사장에 대한 불만은 전 세계 어디나 똑같나 보다).

우리는 다음 날 햄버거를 먹다가 에피가 생각나서 에피와 에피 친구들 햄버거를 포장해 고마움을 전했다. 그러자 에피는 당황해하더니 갑자기 어딘가로 뛰어가 여행지 기념품을 잔뜩 사 오는 게 아닌가. 우리를 위한 선물이라고 했다.

"에피, 선물은 고맙지만 너무 비싼 거 아니야?"

필리핀의 시급과 월급이 우리나라보다 훨씬 적다는 걸 알았기에 우리는 손사래를 쳤다. 하지만 에피는 오히려 현지인이기 때문에 싸게 살 수 있는 게 많다며 열쇠고리며 작고 아기자기한 선물을 안겨줬다.

여행지에서의 재미있는 놀이보다 더 기억에 남는 건

부족함 없이 마음을 나눠주는 에피였다. 우리는 다음에 오면 또 연락하겠다며 페이스북 아이디를 주고받았고 이따금 안부를 주고받으며 지냈다.

그러던 중에 코로나19 사태가 터졌다. 전 세계가 충격에 빠지고 여행마저 쉽게 오갈 수 없는 상황에 놓이게 되었다. 나도 사회자 일이 끊기면서 가만히 추이를 지켜보던 어느 날, 하늘길이 막히면서 전 세계 관광지에서 일하던 사람들이 어려운 상황에 처했다는 뉴스를 보았다.

우리의 보라카이 친구, 에피가 걱정됐다. 곧바로 페이스북 메시지를 보냈다.

"에피, 괜찮아?"

그때 받게 된 에피의 답변은 우리의 상상 이상이었다. 일하던 곳은 더 이상 영업을 하지 않아 고향에 갔는데, 지역 간 출입이 전부 통제돼 먹을 것조차 쉽게 구할 수 없다고 했다. 얼마나 어려운지 마을에서 나서서 쌀농사를 시작했고 수확할 날만 손꼽아 기다리고 있다고 전했다.

그 소식과 함께 임시 거주로 지내는 천막 사진을 보냈는데, 비닐하우스처럼 보이는 생활 환경에 너무나도 큰 충격을 받았다.

코로나 시기에는 우리도 무척이나 힘든 시간을 보낼 수밖에 없었다. 하지만 그런 에피를 모른 체할 수 없었다. 우리는 수중에 있는 돈을 탁탁 털었다. 9만 원. 여윳돈이라고 할 수 있는 돈은 그게 전부였다. 한국에서는 적다면 적은 금액이지만, 보라카이에서는 꽤 큰돈이었다.

우리는 에피에게 메시지를 보냈다. 적은 돈이지만 보내주겠다고. 에피는 그 돈이면 한 달은 음식 걱정 없이 살 수 있을 거라고 했고 우리는 고민 없이 은행에 가서 에피에게 돈을 부쳤다. 그 이후로도 몇 번 연락을 주고받으며 에피는 신신당부를 했다.

"다음에 너희가 보라카이에 오면 내가 마중 나갈게! 꼭 알려줘!"

남들은 여행지를 다녀와서 멋진 풍경과 경험한 액티비티를 떠올리지만, 우리는 보라카이를 친구 에피의 나라로 기억한다. 사실 우리에게 보라카이는 기대 이하의 여행지였다. 필리핀에서도 물가가 가장 비싼 곳이었고, 생각보다 즐길 거리가 적었다.

하지만 에피라는 친구를 얻은 좋은 기억의 여행지임은 분명하다. 그래서 다음에 다시 보라카이에 가게 된다면 좋은 여행지라서가 아닌, 나의 친구가 사는 나라이기 때문에 택하게 될 것이다.

만약 에피가 우리를 지나치는 관광객으로만 여겼다면 인연이 이어졌을까? 우리도 에피가 해주는 것들이 그저 그 사람의 일이라는 생각으로 받아들였다면 역시 인연이 이어지지 않았을 것이다. 나는 여전히 사람과 사람은 마음으로 연결된다고 믿는다. 전 세계 어디에서든 마음을 주고받을 수 있다.

우리 집 마스코트를 소개합니다

우리 영상에 가장 많이 등장하는 인물이 있다. 바로 고양이 '쏘주'다. 쏘주를 빼고는 우리 가족을 말할 순 없다. 언제나 심통 난 표정으로 우아하게 몸을 핥고 창가 엎드려 한없이 풍경을 감상하다가도 잘 시간이 되면 내 오른팔로 파고드는 작은 생명체. 그 작고 따듯한 몸을 품고 있으면 행복하다가도… "엣취!" 옆에서 재채기 소리가 반복된다.

그렇다. 음미는 고양이털 알레르기 지수 6으로(대개 알레르기 지수의 최고점이 6점이다) 컨디션이 안 좋거나 환절기가 오면 쏘주와 함께 있기 어려운 체질을 타고났다.

이 작고 귀여운 쏘주를 음미와 나 둘 다 끔찍하게 아낀다. 알레르기도 결코 우리의 사랑을 막을 수 없다. 음미는 컨디션이 안 좋으면 1분에 10번 이상 재채기를 하기 때문에 알레르기 약을 먹고 반신욕을 하러 떠난다(반신욕이 몸의 체온을 높이면서 알레르기 반응을 직방으로 해결한다). 그사이 나는 이불을 건조기에 돌려 쏘주의 털을 털어내 우리가 함께 살아갈 방법을 찾는다.

쏘주는 우리에게 힐링 그 자체다. 기분이 안 좋을 때 쏘주 얼굴을 보면 금세 마음이 풀리고 웃음이 난다. 이따금 음미와 말로 티격태격 가라앉는 분위기가 되면 곁으로 와서는 "야옹 야옹" 울며 우리 둘 마음을 자연스럽게 풀어지도록 해준다. 쏘주를 자식 같은 존재라고 하는 이유다.

쏘주를 처음 만난 건 2016년 12월. 친한 친구가 고양이 입양처를 찾는다며 연락을 해왔다. 쏘주의 사진을 보고 너무 키우고 싶었지만, 그 당시 혼자 원룸에 사는 형편으로는 엄두가 나지 않았다. 무엇보다 사랑받으며 자란 고양이를 조금 더 좋은 환경에 보내주는 게 옳다는 생각이 들었다.

그래서 욕심을 접고 한 번 거절했지만, 마치 예정된 운명처럼 쏘주는 우리 집에 오게 됐다. 당시 쏘주 반려인의 갑작스러운 투병으로 급하게 입양처를 찾는 상태였던 터라 쉽게 맡길 곳을 찾을 수 없었고 결국 쏘주가 우리 가족이 되었다.

혼자 쏘주를 키울 땐 팔에 끼고 자면 그렇게 든든할 수가 없었다. 술을 마시고 와도 냐옹, 음미가 와도 냐옹, 혼자 밥을 먹어도 냐옹 하며 곁을 내주는데, 그 귀여움에 순식간에 마음을 빼앗고 말았다. 좁은 원룸 공간에서도 쏘주는 늘 얌전하게 집 안을 돌아다녔고 말썽 한번 일으킨 적이 없었다. 속으로 '쏘주가 좁은 집을 답답해할까 걱정했는데 다행이다'라고 생각했다.

그 후 음미와 결혼을 앞두고 원룸 계약 문제로 잠깐 장모님 댁에 살게 된 적이 있었다. '쏘주가 혹시라도 낯선 집에서 불편해하면 어쩌지', '고양이는 영역 동물이라 공간을 자주 바꿔주면 안 되는데…'라는 걱정도 잠시, 이게 웬걸, 쏘주는 짐을 옮긴 날 곧바로 집에 적응했고, 거실을 우다다다다다 하고 달리기 시작했다. 놀랄 수밖에 없었다.

“나 혼자 사는 집에서는 이런 적이 없었는데!”

“거긴 달릴 만한 공간이 없었으니까.”

쏘주는 좁은 공간을 편해하는 게 아니었다. 옮긴 집에서는 하루에도 몇 번씩이나 우다다 뛰고 집 안 가구를 허들 넘듯이, 장난감 다루듯이 오르내렸다. 집이 넓어지는 만큼 활동량이 늘어나 다행이었지만, 한편으로는 괜히 못난 반려인이 된 것만 같아 마음이 아팠다.

음미와 결혼을 하고 함께 몇 번의 이사를 거치면서도 늘 쏘주가 좋아할 만한 공간이 있어야 한다는 사명감을 갖는 이유다.

사람들은 고양이 이름이 ‘쏘주’인 이유가 내가 소주를 좋아해서라고 생각한다. 물론 소주를 좋아하는 건 사실이지만, 원래 반려인이 지어준 이름이라 사실 그 이유는 알 수 없다. 다만 환경도 달라진 마당에 이름까지 바뀌면 쏘주가 너무 혼란스럽지 않을까 싶어 이름을 바꾸지 않았을 뿐이다.

그리고 언젠가 첫 반려인이 쏘주를 만나러 온다면, 그 이름을 그대로 함께 마주하는 걸 보고 싶었다. 하지만 도통 첫 반려인과 연락을 나누기 쉽지 않았다.

어느 날 우리 영상이 유명해지고 난 뒤에 DM으로 쏘주에 관해 물어보는 분이 있었다.

“안녕하세요. 혹시 고양이를 6년 전쯤에 입양 받으셨었나요? 어머니가 키우던 고양이가 있었는데 그때 사정이 있어 입양을 보냈었거든요. 근데 이름이 쏘주고 얼굴도 너무 닮아서요!”

이름을 그대로 쓴 덕분에 쏘주를 처음 키운 분의 딸과 연락이 닿은 것이었다. 우리는 쏘주가 여전히 건강하다고, 사랑을 많이 준 덕분이라며 첫 반려인과도 언제든 만났으면 좋겠다고 생각했다. 하지만 첫 반려인은 이미 암 투병으로 세상을 떠났다고 했다.

“그때 급하게 입양처를 구해서 걱정이었는데 쏘주가 행복한 곳에 간 것 같아 마음이 놓여요. 고맙습니다.”

나중에 기회가 된다면 그분을 집으로 초대해 쏘주가 그간 사랑스럽게 잘 자랐다는 걸 보여주고 싶다. 어쩌다 가족이 된 쏘주지만 함께 잘 지내주는 쏘주가 고마울 뿐이다.

환대하는 마음

자기 주변의 가까운 사람에게는 한없이 부드럽지만, 조금 먼 사람에게는 자기도 모르게 날것의 감정을 드러내는 사람들이 있다. 잠깐 지나치는 가게 점원, 앞으로 볼 사이가 아닌 것 같은 관계에서 자기 기분대로 태도를 드러내거나 괜히 뾰족하게 날을 세우는 식이다.

그런 걸 보면 '자기 손해'라는 생각이 든다. 남의 기분을 상하게 만들면 자기 기분도 상하기 마련이다. 결국엔 모두 마음이 상한다.

나는 가깝든 가깝지 않든 환대하는 마음이 중요하다고 믿는다. 내가 누구에게든 호의를 베풀고 환대하면, 그 호의와 환대는 나에게 돌아오기 마련이기 때문이다. 나와 얼이가 늘 누구에게든 예의 있고 친절하게 대하려고 노력하는 이유다.

'어차피 이 친절과 마음은 나에게도 꼭 돌아오니까!'

특히나 우리가 조금 더 어리고 조금 더 돈이 없던 시절 많은 사람에게서 호의를 받았고, 그래서 더더욱 많은 걸 베풀겠다는 다짐을 했다.

얼이와 처음 함께 살던 아파트 단지에는 수요일마다 장이 섰다. 맛있는 집이 많아 장을 서면 늘 사람이 북적였는데, 그중 가장 핫한 곳은 국을 파는 곳이었다. 정말 내 키만 한 솥 여러 개에 국을 직접 끓여서 판매하는 곳으로 맛이 좋아 인기가 많은 집이었다.

그중 매번 품절 대란이 일어났던 메뉴는 선짓국이었다. 아파트 단지 거주자들의 나이대가 높은 편이라서 그런지 선짓국은 오후 4시에 가도 늘 동 나 있었다.

유명하다고 하니 괜히 그 맛이 궁금했지만, 사실 나는 선짓국을 못 먹는다. 하지만 우리 엄마가 엄청 좋아하는 국이라 엄마에게 그 맛을 꼭 보여주고 싶어, 어느 날은 조금 이른 퇴근을 하고 헐레벌떡 뛰어갔다.

“사장님 혹시 선짓국…”

말이 채 끝나기도 전에 대솥 하나가 텅텅 비어 있는 걸 발견했다. 역시나 또 품절이었다.

“아휴, 선짓국은 진작 다 나갔지. 그런데 이렇게 어린 친구가 선짓국을 다 먹어?”

나는 시무룩한 표정으로 말했다.

“아, 제가 아니라 저희 엄마가 선짓국을 엄청 좋아하시거든요.”

“아, 어머니가? 에구, 오늘은 어쩔 수 없네.”

어쩔 수 없이 얼이와 먹을 곰국 하나만 사고 발길을 되돌릴 수밖에 없었다. 그런 뒤에 다음 장이 열린 날이었다. 선짓국이 남아 있을 거라는 기대도 없이 저녁으로 먹을 육개장을 사러 갔는데, 사장님이 날 먼저 알아봤다.

“어머! 왔네! 기다렸어.”

사장님은 마치 오래된 단골을 맞이하듯 반갑게 인사하시곤 무언가를 꺼내 육개장과 함께 주었다.

“이게 판매용 양은 아니고, 내가 조금 남겨뒀어. 같이 가져가."

"네?"

"지난주에 엄마 국 사러 온 게 기억에 남아서 선지국을 따로 챙겨뒀어. 딸내미가 엄마 생각하는 마음이 너무 예뻐서 계속 생각났거든. 어머님 혼자 드시기에는 넉넉할 정도니까 괜찮을 거야."

감동이었다. 그저 지나가는 인연이었을 법했지만, 사장님은 나뿐만 아니라 엄마를 드리겠다는 내 마음까지 기억했다.

엄마에게 선짓국을 드리고 그다음 주 장이 열리는 날에 사장님께 감사의 마음을 전했다.

"사장님, 저희 엄마가 너무 잘 드셨다고 감사하다고 전해달라셨어요. 이건 제가 좋아하는 빵인데 이따 출출할 때 드세요."

내가 좋아하는 빵을 전해드렸더니, 그 후로도 사장님은 우리를 '빵을 준 예쁜 신혼부부'라고 부르며 반갑게 맞이했다. 이사를 가고 나서 1년 후에 들렀을 때도 여전히 기억하고 있었다.

얼이에게도 이와 비슷한 에피소드가 있다. 화곡동에서 7평 정도 되는 집에서 남자 셋이 자취를 할 때였다. 돈이 궁했으니 매번 집 앞에 있는 7900원짜리 치킨 한 마리를 남자 셋이 나눠 먹는 게 가장 큰 외식이었다.

치킨집 사장님은 우리네 엄마와 같은 나이대였는데, 사장님은 자기 아들이 군대에 있다면서 아들 같다는 말을 자주 했다고 한다. 자주 가는 얼이와 친구들을 예쁘게 봐준 나머지 비 오는 날에는 메뉴에도 없는 전을 만들어 주고 밑반찬을 넉넉하게 했다며 반찬을 나눠주면서 손님 이상의 정을 나누어줬다.

어느덧 얼이와 사장님은 개인적인 이야기도 털어놓을 정도의 사이가 되어, 얼이는 개그맨 시험 준비를 하고 있는데 힘든 부분이 많다고 허심탄회하게 말하기도 했다.

자기 집처럼 드나들던 곳이었지만 집 계약이 끝나면서 그 동네에 갈 일이 생기지 않았다. 그렇게 6년이라는 긴 시간이 지나고 얼이는 친구들과 함께 술을 마시다가 그 치킨집이 생각나 전화를 걸어봤다.

치킨집은 여전히 그 자리에서 영업하고 있었고, 그때

의 친구 셋이 모여 그 가게를 찾아갔다. 사실 가게에 들어가기 전까지도 혹시라도 사장님이 얼굴을 못 알아보면 어쩌나 걱정하던 그들이었다.

하지만 웬걸. 들어가기 무섭게 사장님은 곧바로 얼이와 친구들을 알아봤다. 심지어 함께 간 나까지 기억해주고 결혼했다는 우리 말에 왜 초대하지 않았냐며 함께 얼싸 안으며 인사를 나눴다.

사장님은 그 당시 얼이와 친구들의 사정까지 전부 기억하고 있었다.

"그때 준비하던 시험은… 잘됐고…?"

"아! 그 시험에는 떨어졌는데 저 지금 엄청 잘됐어요!"

조심스럽게 물어보는 사장님께 얼이는 당당하게 얘기했고, 함께 간 얼이 친구는 사장님의 이야기를 듣고 눈물을 흘렸다. 기억하지 못하기는커녕 개인의 사정까지 다 기억하며 세심하게 안부를 물어봐주는 게 너무 감동이었던 것이다.

다들 넉넉하지 못해 7900원짜리 닭 한 마리를 사서 나눠 먹던 친구들이 어느덧 결혼을 하고, 자리를 잡은 게 사장님은 기쁘다고 했다. 그날은 정말 말 그대로 가게에 있는 메뉴 전부를 시켜 먹고 왔다.

이러한 경험은 우리 마음에 깊이 새겨져 있다. 호의와 친절을 받은 경험을 통해서 우리도 똑같이 타인에게 친절을 베풀어야겠다는 마음이 생기는 건 당연하다. 조금 어설프고 어렸지만, 그 상태 그대로 우리를 감싸준 분들에게 늘 감사한 마음이다.

우리들의 연애 방식

'얼미부부'라는 이름으로 유튜브를 시작한 뒤 사람들이 우리에게 가장 많이 물어본 건 어떻게 만났는지, 오래 만나는 비법이 있는지와 같은 것들이었다. 우리는 긴 시간 만났지만 단 한 번도 헤어진 적 없었고 그 흔한 권태기도 없었다. 우리가 잘 맞는 사이인 건 맞지만, 그렇다고 누구에게나 통하는 마법 같은 연애 기법을 알고 있는 건 아니다.

얼이와 나는 쿵짝이 잘 맞는다. 하지만 입맛이나 성향은 극과 극에 가깝다. 만약 얼이가 나에게만 맞췄거나, 내가 무조건 얼이의 말을 따랐다면 관계는 금방 끊어졌을 게 뻔하다.

이렇게 다른 우리가 오래 사랑하는 마음을 간직하고 잘 지내는 방법은 너무 간단하다.

서로가 싫어하는 건 하지 말 것.
서로를 바꾸려 하지 말 것.

간단한 것만 지키고 서로를 배려해도 관계는 쉽게 단단해진다. 물론 누군가를 만나서 쉽게 마음을 내어준다는 게 세상 큰일이라는 걸 잘 안다. 내 본성을 억누르고 상대를 배려한다는 게 어렵다는 것 또한 안다. 나도 얼이를 만나기 전에는 연애가 세상 최고 어렵고 힘들었다.

그 당시 온라인 카페에서 인기리에 연재 중인 연애 상담 글이 있었다. 나는 그 글을 달달 외우고 상황에 적극적으로 대입할 정도로 당시의 남자친구에게 최선을 다했다. 무릎을 탁 칠 만큼 어찌나 명언인지 아직도 그때 내용이 선명하게 떠오른다.

"연락하고 싶어도 먼저 전화해서 닦달하지 말 것.

간섭하고 구속하는 건 부모님이 할 일이다. 당신은 사랑받는 여자 친구가 되고 싶지 않은가.

모닝콜과 도시락 당번이 되지 말 것.

하라면 하고 말라면 마는 만만한 사람이 되지 말아라. 당신은 그 남자의 종이 되길 원하는 게 아니다. 사랑받는 여자친구가 되어야 한다."

대략 이런 내용이었다. 한 줄, 한 줄 읽으면서 무릎을 몇 번이나 쳤는지 모른다. 하지만 결과를 말하자면 연애 대실패를 겪었다. 얼이를 만난 스물둘, 다시 누군가를 만나고 행복해질 수 있을 거란 기대가 전혀 없었다. 남자친구와 아주 나쁘게 헤어졌기 때문이다!

남자친구가 나 몰래 다른 이성과 함께 있다는 걸 알게 됐다고 짧게 설명하면 고개를 끄덕일 수 있을까? 상대와의 연애에 늘 최선의 노력을 했다고 자부했는데, 사실은 거짓말로 나를 대하는 나쁜 상대였다는 사실이 날 더 힘들게 했다. 마음을 쏟은 상대와 헤어졌다는 사실을 받아들이기 힘들었고 여태껏 한 연애가 전부 실패인 것만 같아 우울했다.

다시는 연애를 하지 않겠다… 라고 마음먹지는 않았고 곧장 교보문고에 가서 연애 관련 코너를 찾았다. 자기계발 책을 많이 읽던 때라 '책에는 반드시 길이 있다'라는 믿음이 있었다. 수북하게 쌓인 책을 펼치고 덮기를 반복하며 몇 가지를 되새겼다.

애초에 남자와 여자는 유전적으로 다르다는 걸 머리로는 알면서도 쉽게 이해할 수 없었는데 책을 통해 알게 되었다. 남자는 항상 동굴에 들어가고 싶어 하고 여자는 늘 그런 남자를 동굴에서 꺼내려고 한다는 내용에서 우리가 애초에 다른 사람이었다는 걸 깨달았다. 연애 상대와 나는 절대 같을 수 없다는 걸 알게 된 것이다. 그간 나는 남자친구를 나와 같은 존재로 여기고, 나와 똑같이 만들어서 함께하려고 했다.

내 인생에 연애 상대가 1순위가 되면 그 연애는 실패하기 마련이다. 나는 나를 더 사랑하기로, 자존감을 올리기로 했다. 그런 마음 상태로 얼이를 만난 건 너무 다행이었다.

그러나 더 성숙하게 상대를 대할 수 있다는 자신감이 있었지만, 여전히 마음속에는 불신이 자리 잡고 있었다. 특히나 술을 좋아하는 얼이었기 때문에 매번 내가 모르는 이성과 술자리가 있을까 불안했다. 내 불안 때문에 연애를 망치고 싶지 않아서 얼이에게 솔직하게 말했다.

"나는 네가 그 전 남자친구처럼 거짓말하고 다른 여자랑 있을까 봐 불안해."

솔직한 마음을 전달하는 게 건강한 연애라고 생각하면서도 불안했다. 혹시라도 얼이가 불편해하면 어떻게 하지 싶은 마음이 앞섰다. 그런데 얼이는 전혀 기분 나쁜 티 없이 말했다.

"그랬어? 미안해. 아무래도 공연이 끝나고 나면 술자리가 많네. 또 내가 술을 좋아하기도 하고…. 그렇지만 내가 노력할게. 만약 불안하면 솔직하게 말해줘. 안심할 수 있도록 늘 증명할 테니까."

의심하는 것처럼 들릴 수 있어 충분히 기분 나쁠 수 있는 상황이었지만, 얼이는 오히려 내 마음을 이해해주었다. 그리고 정말로 안심할 수 있도록 매번 상황을 증명했다. 친구들과 함께 있을 때 사진을 찍어 보내주고, 시간이 맞는 술자리엔 함께 나가자며 나를 불렀다. 늘 나를 배려해주는 마음이 너무 고마웠다.

혼자 세상을 사는 것도 어렵고 힘든데, 나와 다른 타인과 좋은 관계를 유지하는 건 더 어려울 수밖에 없다. 내가 다양한 책을 읽으며 깨달은 것은 모두에게 사랑받는 방법이 아니었고, 상대의 마음을 사로잡는 비법도 아니었다. 상대를 존중하고 그 이전에 자기 자신을 사랑해야 한다는 깨달음이었다.

무엇보다 연애는 인생의 전부가 아니다. 잘 맞는 짝을 만나 행복할 수 있지만, 그런 짝을 못 만난다고 해서 연애에만 함몰될 필요는 없다. 나 자신을 1순위로 두고 여유로워진 마음으로 상대의 마음을 품을 수 있을 때 모든 관계는 자연스럽게 좋아진다.

나눔은 반드시 기쁨으로 돌아온다

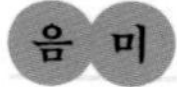

살면서 어딘가에 뿌린 사랑은 어떻게든 돌고 돌아 나에게 온다. 이건 내가 강력하게 믿고 싶은 이야기 중 하나다. 이 믿음이 없다면 쉽게 누군가를 신뢰하고 마음을 나누기 어렵다는 게 내 생각이다.

이 믿음을 가지면 누군가에게 호의를 베풀 때 그 상대에게 내 호의에 상응하는 대가를 바라지 않게 된다. 그뿐만 아니라 내가 예상하지 못한 곳에서 사랑을 받았을 때 너무 부담을 느끼지도 않는다. '내가 뿌린 사랑이 나에게 돌아왔구나. 이 받은 사랑을 다시 남에게 베풀어야지'라고 생각하면 아무런 계산 없이 상대의 마음만 바라볼 수 있게 된다.

아무런 예고도 없이 하루아침에 벼락스타가 된 기분으로 다양한 사람에게 응원 인사를 받을 때, 심지어 코로나로 미루고 미루던 결혼식에 내가 가장 좋아하는 가수 린 언니가 와서 축가를 불러주고, 댓글로도 끊임없이 축하를 받을 때… 정말 꿈이 아닌가 싶은 나날의 연속이었다.

이제 와서 하는 이야기지만 잠이 올 리 없다고 하는 결혼식 전날 밤, 가만히 앉아 밖을 바라보다 불쑥 눈물이 났다.

"얼아, 우리가 이렇게 수많은 축하를 받으면서 결혼하는 게 말이 되는 일일까?"

나쁜 일, 어려운 일이 앞을 막고 있을 때도 여러 사람의 도움을 받아 고마웠던 순간이 있었다. 하지만 내 생애 가장 기쁠 수밖에 없는 날에 셀 수 없이 많은 사람이 축하해준다는 건 내가 상상하는 기쁨을 초과하는 일이었다. 그 사랑을 가만히 받고만 있을 수는 없었다. 나는 그 자리에서 다짐했다.

'받은 사랑을 반드시 되갚자!'

그날 밤, 인스타 팔로워와 유튜브 구독자를 헤아려봤다. 모두 더하니 50만 명이었다. 갑자기 기부 모드가 발동됐다. 소아암 재단에 5백만 원을 기부하기로 마음먹고 곧장 실행했다. 내 짧은 인생을 통틀어 이렇게 큰돈을 기부한 건 처음이었다. 그때 느낀 기분은 짜릿함이었다.

순식간에 일어난 일이었다. 기부금을 보내고 나니 별안간 감사한 마음이 밀려왔다. 지금의 감사한 마음을 잊지 않겠다 다시 다짐하며 얼이에게 말했다.

"얼아, 우리 앞으로 결혼기념일마다 기부하자."

얼이가 반대할 리 없었다. 그렇게 우리는 기부를 시작했다.

첫 번째 결혼기념일을 맞이해 서울대어린이병원에 기부를 했다. 병원에 찾아갔을 때 기분이 묘했던 이유는, 병원 위치가 혜화역 근처였기 때문이다. 그곳은 얼이가 공연을 하며 보증금 20에 월세 20만 원으로 살던 지역이자, 우리가 꾸준히 데이트하던 동네였다.

밥 먹을 돈도 부족해서 저렴한 식당만 찾아다녔고 월세 20만 원도 버거웠던 시절에 살던 동네에 찾아가 인스타그램, 유튜브, 틱톡 구독자를 더한 금액(당시 95만이었지만) 1천만 원을 기부하게 되다니. 우리 스스로도 믿을 수 없었다.

왼손이 하는 일을 오른손도 알아야 한다는 생각에 서울대어린이병원에 기부금을 전달할 때는 영상 콘텐츠도 함께 찍었다. 연애 시절 자주 갔던 식당에 가서 돈가스를 먹으며 감회에 젖었다. 절대 비싼 가격이 아니었지만 연애 시절에는 주머니를 탁탁 털어서 겨우 사 먹던 돈가스였다. 순간 감정이 복받쳤고 얼이는 그 기분에 취해 눈물을 찔끔 흘렸다(자고로 남자는 세 번 운다고 하던데 얼이는 군대 간 다음 날도 울고, 결혼한 날도 울고, 결혼기념일마저도 울고…. 이미 울 거 다 울어서 큰일이다).

우리가 기부 영상을 올리고 정말 많은 DM을 받았는데, 단순하게 응원하고 칭찬하는 내용보다 더 눈길을 끄는 건 그 병원을 거친 환자와 현재 치료 중인 아이들의 부모님이 준 메시지였다.

"작년에 우리 아이가 아파서 수술했는데 다른 병원에

서 일주일 서울대어린이병원에서 일주일 입원 후 수술까지 했어요. 첫 병원에서 병원비가 많이 나와서 서울대어린이병원에서는 수술까지 해서 더 많이 나오겠지 했는데…. 얼미부부처럼 도와주시는 분들 덕에 병원비 부담 없이 수술 잘 받고 퇴원했습니다. 얼미부부가 이렇게 좋은 일하셨다는 걸 알았으니 대표해서 감사 말씀 전해요."

"저희 아이가 지금 서울대어린이병원에 장기 입원해 있어요. 기부자님들 덕에 혜택을 받고 있었는데, 얼미부부도 이곳에 기부를 했다고 하니 너무 감사하네요"

"언니! 저는 어렸을 때 백혈병으로 서울대병원에서 치료를 받았었는데, 저도 기부자분들의 도움으로 치료를 잘 마쳐서 지금 건강하게 대학교에 다니고 있어요. 언니가 그곳에 기부했다고 하니 그때 그분들에게 감사했던 마음도 떠올라요. 너무 감사해요!"

실제로 기부로 혜택받은 사람들의 이야기를 들으니 감정이 더 벅차올랐다. 나 또한 아빠가 암으로 병원에 계셨던 터라 환자와 그 가족의 마음을 잘 안다. 기부를 전부 소아암 재단, 어린이병원에 한 것도 이런 이유였다.

사람들이 오늘 하루 행복하게 시작하는 방법을 물어볼 때 꼭 빼놓지 않고 추천하는 게 있다. 바로 선행 베풀기다. 큰돈을 내는 기부만 선행은 아니다. 내가 할 수 있을 만큼의 크기로, 나의 편의를 위해 일하는 주변분들을 위해 작게라도 실천하면 된다.

언젠가 내가 오전 일찍 택시를 타면서 견과류 한 봉지를 기사님께 드렸는데, 기사님이 엄청 고마워하며 내릴 때까지 기분 좋은 대화를 이어 나간 적이 있다. 기사님이 기뻐하니 나도 덩달아 기분이 좋아지는 경험이었다. 무엇이든 좋다. 작은 거라도 나눈 뒤 느끼는 행복은 또 다른 결의 행복을 불러온다. 그건 중독되는 감정이다.

앞으로도 우리는 구독자 수만큼 기부할 계획이다. 구독자가 없었다면 지금의 우리가 없었을 테고, 늘 하고 싶었던 기부도 실행할 엄두조차 내지 못했을 거라는 걸 알기 때문이다(참고로 얼이의 꿈은 기부 많이 하는 백만장자다). 그래서 기부자 이름은 '얼미부부와 얼분들'로 했다('얼분들'은 우리 채널 구독자들을 부르는 애칭이다). 구독자가 늘어나면 늘어날수록 기부 금액도 많아진다는 게 가장 기쁜 일이다.

다 쓰고 나니까 내 선행을 너무 내 입으로 말한 것 같아 부끄럽지만, 앞서 말했듯 나는 오른손이 한 일을 왼손이 알게 하는 스타일이라… 집에도 잘 보이는 곳에 기부 증서를 다 전시해놨다. 흐흣, 이제 시작일 뿐이다.

관계에서 중심 잡기

주변 사람 때문에 울기도 하고 덕분에 웃기도 한다. 그만큼 한 사람의 삶, 더 작게는 하루의 기분에 있어 인간관계는 중요하다. 나 같은 경우도 사람 때문에 속 뒤집힌 날이 있는 반면, 사람 때문에 그 하루의 모든 나쁜 일이 깔끔하게 사라진 적도 있다. 인간관계 또한 '단짠단짠'의 연속이다.

우리가 구독자와 소통할 때마다 빠지지 않고 등장하는 주제에 인간관계가 있는 것만 봐도 그렇다. 무례한 직장 상사, 어딘가 불편함을 주는 친구, 자꾸만 삐거덕대는 연인까지… 얽히고 얽힌 관계는 때때로 행복을 멀리 쫓아

내 우리를 힘들게 만든다.

특히 가까운 사이일수록 서로에게 쉽게 상처를 주고 가볍게 말하기 십상이다. 그럴 때 필요한 건 '거리 두기'다. 나를 지키기 위해, 마음에 쉴 공간을 만들어주기 위해 거리 두기가 필요하다.

친구와 연인과의 문제는 그래도 쉽게 풀 수 있지만, 일로 만나는 사람과의 관계에서 문제가 생기면 풀지도 못하고 솔직하게 말하지도 못한 채 끙끙 앓기 쉽다. 나 또한 일을 하면서 무례한 사람을 겪은 적 있다. 처음에는 어떻게든 관계를 풀어나가려고 했지만, 그마저도 쉽지 않았다.

그러다 찾은 방법은 '여기는 연극 무대다'라고 상황을 설정하는 것이었다. 영화든 드라마든 무엇이든 좋다. 나를 둘러싼 모든 사건과 관계를 지나가는 한 편의 이야기라고 여기면 된다.

출근을 하면 한 편의 연극이 시작되고, 기승전결의 서사 속 각자의 역할이 부여된다. 나는 그저 사원 A의 역할을 맡았고, 상사는 악덕 상사 B 역할을 맡았을 뿐이다. 모든 스토리에는 악역이 필요하니까 그 역할이 있을 뿐이고, 배역을 조정할 수 있는 연출자는 이 자리에 없을 뿐이다.

이렇게 내가 연극에 오르는 연기자라고 생각하면 상황을 한 발자국 떨어져서 볼 수 있다. 퇴근하고 나면 어차피 무대의 막은 내려온다. 끝이다. 연기뿐인 상황에서 내 감정을 소모할 필요성을 못 느끼게 된다.

또 우리를 괴롭히는 직장 관계가 아닌 주변의 평범한 관계도 많다. 그럴 때도 내가 쓰는 방법이 있다. '내 마음의 방'을 뚜렷하게 상상하는 일이다. 나도 이 방법은 책에서 배웠다. 『당신의 방에 아무나 들이지 마라』(스튜어트 에머리 외 2명, 쌤앤파커스)를 보면 왜 마음의 방을 의식해야 하는지 그 이유가 나온다. 내 마음의 방은 단 하나이고 나가는 문은 없다. 결국 내 마음에 들어온 사람은 어떻게든 내 마음에 단단하게 자리 잡아 삶에 영향을 미친다. 내 마음에 어떤 사람을 들이는지가 중요한 이유다.

이 책은 방 안에 들이는 사람을 확인하는 문지기와 방을 꾸미고 사람들의 간격을 조율하는 매니저의 역할을 통해 인간관계를 조금 더 매끄럽게 만드는 방법을 설득력 있게 일러준다.

이 책을 읽기 전에는 수없이 많은 사람을 마음에 들이고 그 관계를 위해 무진 애를 썼다. 하지만 내 마음의 방에 있는 사람들을 상상하게 되니, 그 관계를 다른 시선으로 바라볼 수 있게 됐다. 인간관계에서 다다익선은 절대, 결단코 없다는 걸 알게 됐다.

하루에도 수백 개씩 오는 DM만 보더라도 연애뿐만 아니라 친구, 회사, 가족 간의 관계로 어렵다고 호소하는 사람이 많다. 내 인간관계가 무조건 좋을 거라고 생각하고 조언을 듣고자 하는 거겠지만, 나 또한 여전히 관계 때문에 고민이 깊어지는 순간이 있다.

이십 대 때는 모든 사람에게 환영받는 사람이 되고 싶었다. 그게 얼마나 힘든 일인지 몰랐다. 싫어도 좋다고 말하고, 어려운 부탁도 쉽게 거절할 수 없었다. 좋다고 말해주고 어려운 부탁을 들어줘야만 상대에게 좋은 사람일 수 있다는 그릇된 믿음이 있었다.

지금은 안다. 모든 사람에게 사랑받는다는 건 환상에 불과하다는 것을. 그리고 모두에게 좋은 사람이 될 필요도 없다는 사실을!

걱정과 고민을 나눌 수 있는 친구, 오래된 연인이 곁에 생기면서 이 사실이 확실해졌다. 내 마음이 100이라고 할 때 100명에게 나눠주면 한 명에게 고작 1만큼씩만 주게 된다. 하지만 내가 정말 사랑하는 사람, 존경하고 마음을 나누고 싶은 상대 5명에게만 마음을 나누면 20의 마음을 줄 수 있다.

무엇보다 100명을 신경 쓰고 애쓰는 것보다 소중한 사람에게 마음을 다할 때 훨씬 마음이 편안하고, 말 그대로 '내 마음을 준다'라는 기분이 든다. 사랑받기 위해, 환영받기 위해 상대에게 맞추는 '가짜 나'를 버릴 수 있게 된다.

나를 싫어하는 사람이 나를 다시 좋아할 수 있도록 애쓰는 건 내 에너지만 축내는 일이다. 에너지가 줄어들면 결국 내가 좋아하고 나를 좋아하는 사람에게는 에너지를 적게 쓰게 된다.

물론 마음먹는 대로 모든 인연을 좌지우지할 수 없다는 것 또한 안다. 그럴 때마다 내가 떠올리는 말이 있다.

"더러운 물을 깨끗하게 만들기 위해서 섞인 이물질을 없애긴 어렵다. 더 간단한 방법은 깨끗한 물을 더 넣는 것이다."

나쁜 인연 또한 더러워진 물과 같다. 어차피 내 기분을 망친, 나와의 인연을 훼손한 상대에게 집중해서 관계를 바꾸려고 노력할 필요는 없다. 더러워진 물의 이물질이 쉽게 손에 잡히지 않듯이 멀어진 관계도 마찬가지니까.

하지만 나쁜 인연의 경험 또한 도움이 된다. 다른 상대를 만날 때는 나와 잘 맞는 상대인지, 어느 정도의 거리를 두면 좋을지 적절한 관계의 질을 미리 가늠하게 된다. 좋은 인연을 다시 만들고 내 주변에 좋은 사람은 두면, 이전에 나쁜 관계의 사람들은 너무나도 자연스럽게 사라지고 만다.

세상에는 나와 잘 맞는 좋은 사람이 정말 많다! 누구를 손절하는 데 집중하기보다 새로운 좋은 인연을 만드는 것에 집중하면 더 좋은 인연을 만들 수 있다. 더 좋은 인연과의 관계에 집중하면 그 인연으로 인해 내가 더 좋은 사람이 될 수 있다. 내가 좋은 사람으로 변하면 자연스럽게 좋은 사람들이 모여들고 좋은 인연이 생긴다.

★ 얼미부부표 레시피 ★

우울할 땐 그냥 좀 먹자

먹는 것에 유난히 최선을 다하는 편인 나는 구독자들과 소통하는 인스타그램에도 점심 메뉴, 저녁 메뉴 등을 추천하며 나처럼 먹는 데 진심인 친구들과 소통한다. 잘 차려진 맛있는 음식을 먹는 일은 오늘의 우울한 기분을 없앨 뿐만 아니라 기분을 좋게 만드는 가장 쉽고 빠른 방법이다.

내가 이렇게 할 수 있는 건 엄마의 덕이 크다. 엄마는 바쁜 와중에도 오빠와 나의 밥만큼은 꼭 손수 정성스럽게 차려주었다. 그래서인지 추억이 담긴 음식도 많다. 특히 어릴 때부터 엄마와 같이 만들어 먹은 음식이 그렇다.

고구마 맛탕, 곰솥 샌드위치는 기억에 가장 깊게 남아 있어 만드는 방법을 영상으로 찍어 올리기도 했다.

가장 간단하지만 정신 못 차릴 정도로 기분이 곧바로 좋아지는 두 음식을 책에도 소개하고 싶다.

이제는 우울할 땐 곰솥 샌드위치, 짜증날 땐 고구마 맛탕이다!

얼미네 곰솥 샌드위치 레시피

준비물 감자 3개, 사과 2개, 당근 1개, 오이 1개, 양배추 4분의 1, 식빵 한 봉지, 마요네즈 많이

① 감자를 푸우우욱 쪄준다.
② 오이, 당근, 사과, 양배추를 깨끗이 씻는다(양배추는 잘라서 씻는다).
③ 오이, 당근, 사과, 양배추를 채썰기 한다.
④ 푹 쪄진 감자를 으깨준다.
⑤ 으깬 감자와 채 썬 채소를 곰솥에 넣어준다.
⑥ 마요네즈를 300g 넘게 짜 넣는다.
⑦ 셰킷셰킷. 비비고 비빈다.
⑧ 식빵 한 면에 속을 엄청 많이 넣고 다른 빵 하나로 덮는다(달게 먹고 싶으면 빵 한 쪽 면에 딸기잼을 바르면 된다).

얼미네 고구마 맛탕 레시피

준비물 고구마, 식용유, 백설 요리당 (꼭! 백설.요리당.이어야 한다. 요리당마다 맛이 다르다.)

① 크기가 좀 있는 밤고구마를 씻어준다(밤고구마를 선호할 뿐 호박고구마도 가능하다).
② 고구마 껍질을 깐다.
③ 고구마를 엄지손톱×2만하게 썬다.
④ 프라이팬에 식용유를 자작하게 넣는다.
⑤ 고구마를 식용유에 투하해서 노릇노릇해질 때까지 튀긴다.
⑥ 접시에 키친타월을 두 장 겹쳐 깔고 튀긴 고구마를 올려 기름을 뺀다.
⑦ 요리당을 쭈욱 짜서 찍어 먹는다(더 바삭하게 먹기 위해 '찍먹' 추천).

♦ 막간 에피소드 4 ♦

여섯 살 때 수영 교실에서 있었던 일이다. 어린 아이들이 혼자 수영복을 입기엔 긴 시간이 필요하다. 그래서 수영 선생님이 꾀를 내었다.
"제일 먼저 수영복으로 갈아입고 나오는 사람에게 상을 줄게요!"
선생님의 말 한마디에 아이들이 소리를 지르며 탈의실로 뛰어 들어갔다. 나도 1등을 하고 싶은 마음에 정신없이 뛰어 들어갔다.

옷을 벗으며 고민했다.
'어떻게 하면 빨리 갈아입고 나갈 수 있을까?'
방법은 하나였다. '애들은 모자까지 다 쓰고 밖으로 나가지만, 나는 뛰어 나가면서 모자를 써야지!' 생각이 거기에 다다른 즉시 모자를 집어 들고 밖으로 뛰어 나갔다.
문밖을 나서며 모자를 썼고, 역시나 내가 1등이었다. 너무 빨리 갈아입어서인지 선생님이 깜짝 놀란 표정이었다.
의기양양하게 상 받을 준비를 하고 있는 나에게
선생님이 말했다.

"한얼아! 아래도 입고 나와야지!"

행복 레벨업

이번 주말, 이번 달, 올해. 미루지 않고 제대로 노는 법

1. 정말 다양한 운동을 쉽게 배워볼 수 있는 시대. 가벼운 마음으로 끌리는 운동 배워보기.
2. 얼이의 영화 추천! 애덤 샌들러, 캐빈 하트가 등장하는 영화는 아무 생각 없이 끝까지 웃으면서 볼 수 있다.
3. 음미의 영화 추천! 무슨 영화든 상관없다. 다만 휴대폰으로 쇼핑몰을 둘러보는 멀티 플레이를 하며 장바구니를 비우면 오늘 하루 정말 알차게 놀았다는 생각이 솟구친다.
4. 자기 취향을 제대로 아는 것만으로도 더 즐겁게 놀 수 있다. 좋아하는 작가, 혹은 좋아하는 배우를 찾고, 좋아하는 맥주나 음식을 찾아 먹어보자. 단, 남들 취향을 따라 하지 말고 내가 좋아하는 것을 확실하게 찾아보자. 해야 할 일을 모두 끝내고 좋아하는 걸 할 생각만으로도 금세 행복해질 것이다.

자기들의 이야기

나를 응원하는 마음 키우기

나는 내가 힘들 때마다 힘내라고 마음속으로 가장 크게 외치곤 했어.

어때? 매번 남들을 위로하고 힘내라고 응원하는 마음을 나 자신에게 전한 적이 있어?

가장 든든한 내 편은 나 자신이라는 걸 잊지 말았으면 해.

나, 너, 우리의 행복을 위해 오늘은 큰 소리로 외쳐보자.

"(내 이름)야, 오늘도 수고 많았어. 내일도 힘내자.
나 (내 이름)는(은) 무조건 잘될 거니까, 큰 걱정은 접어두자!"

♦ 방황하는 자기들을 위한 하음미 솔루션 ♦

- 권태기 극복 방법이 있을까?

'권태기'라는 말을 입밖으로 꺼내면 그 순간부터 상대방의 모든 행동이 권태기 때문인 것처럼 보임. 그럴 땐 상대에게 집중하지 말고 나에게 집중해보자. 평소 못 만났던 친구도 만나고 좋아하는 취미 생활을 누려보자.

- 나 하고 싶은 일이 있는데 자신이 없어. 응원해줄 수 있어?

어떤 선택을 할지 너무 고민일 때 한 가지만 생각하자. '그냥 내가 한 결정을 옳게 만들자!'라고. 한 번 사는 인생 하고 싶은 일은 해야지. 그 선택을 옳게 만들어봐.

- 스물여섯 살 때 뭐 했어? 진로가 걱정이야.

그때 난 하고 싶은 거 하겠다고 대학로 소극장 오디션 보고 공연도 하고 아동극도 하고 바빴지. 돈도 안 되니까 틈틈이 알바도 했고. 만날 오디션 떨어져서 속상했는데, 그때가 없었으면 지금의 내가 없었을 것 같아. 자기야, 하고 싶은 거 다 해. 뭘 하든 세상천지 배울 게 많더라. 그리고 스물여섯 살은 무엇이든 해낼 수 있는 나이야. 무엇보다 자기 자신에 대해 알아가는 이십 대를 보내!

- '무물'을 보기만 해도 힘이 난다. 얼미부부도 우리로 인해 힘나면 좋겠다.

당연하지! 나는 불안하거나 힘들 때마다 감사한 것들을 떠올리는데, 근래 가장 감사한 일 중 가장 큰 부분을 차지하는 게 자기들이야. 진짜!

- 너무 힘이 빠져서 숨고 싶은데 어떻게 하지?

그럴 땐 숨자! 없는 힘을 쥐어짤 필요가 없지! 숨어서 차근차근 기를 모으고, 충전이 되면 나오면 되는 거야. 나도 힘 빠지면 종종 숨어. 괜찮아, 세

상 안 무너져~

- 나를 갈아 넣어 일했던 회사에서 돈도 제대로 못 받고 욕까지 들었다. 그래서 퇴사해버렸어. 뭘 해야 할지 몰라 너무 막막해. 어떻게 하지?

고난이 닥쳤을 때 문이 두 개라는 사실만 기억하자. 하나는 더 깊은 고난에 들어가는 문이고, 하나는 고난이 내 인생의 터닝포인트라는 걸 깨닫고 더 높은 곳으로 도약하는 문이야. 더 좋은 길을 택하기 위해 어떤 문을 열어야 하는지 훤히 보이지? 고생 많았어, 너무너무!

우당탕탕
엉망진창

같아도

결국엔

해피엔딩

12년 전, 둘이 커플티를 입고
첫 놀이공원 데이트 할 때다.
내가 얼이한테 예쁘게 보이고 싶어서.
"후룸라이드는 머리에 물 튀어서 못 탈 것 같애"
했더니 저 쇼핑백을 씌워줬다. (역시 얼이)

내가 면회 가서 놀다가
집에 가는 버스만 타면 슬프다며
창밖에서 저렇게 주먹 넣고
우는 척을 하던 얼이.
군인 시절 그의 시그니처 포즈였음.

둘 다 어려웠던 시절이라 아낀 돈을
모으고 모아 4주년에 처음 커플링을
맞췄다. 인증샷이 조금 오해할 만하지만
커플링 자랑이 맞다.

공연하던 시절, 오디션에 정말 많이 떨어지고
무얼 해도 다 안 풀리는 것 같던 해가 있었다.
스트레스가 최고조에 달했는데 그런 나를 보고
얼이가 열심히 티켓팅해서 함께 간 싸이 연말
콘서트. 너무너무 재밌고 그 한 해의 스트레스가
싸악 풀리는 기분이어서 그때의 행복한 감정을
잊을 수가 없다. 웃겼던 건 공연 안내문에
스탠딩석에 오는 키 작은 여성은 목욕탕 의자를
가져오라고 해서 키가 작은 나는 진짜
가져갔는데, 그 위에서 너무 행복하게 뛰어
놀아서 의자가 박살났다는 사실.

공연과 병행하던 주유소 프로모션 알바를 할 때. 집 떠나 지방에서 숙박하면서 일하는 게 쉽지는 않았지만 전국 방방곡곡의 맛집을 찾아다니는 소소한 행복이 있었다. 그날 일이 좀 힘들어도 오늘은 대단한 맛집을 찾아가겠다는 마음으로 버텼다.

코로나로 식은 못 올리고 혼인신고만 한 채 먼저 집을 구했다. 그래서 우리는 이 집에 처음 들어가던 날이 결혼하는 날 같았다. 전셋집이었지만 "부모님께 손 벌리지 말고 우리 힘으로 구해보자!" 하고 구한 집이라 기분이 남달랐고 소박하게 하나하나 채워가던 소소한 행복을 잊을 수 없다. 또한 저 공간에서 '얼미부부'가 탄생(?)하게 된 거라 애정이 많이 가는 집. 지금도 가끔 저 동네에 들러보면 기분이 너무 좋다.

코로나가 잠잠해질 즈음 3개월 만에 후딱 준비해서 올리게 된 결혼식. 얼이랑 처음 만나고 연애를 하면서 '내가 이 친구랑 결혼을 하게 된다면 꼭 축가로 이 노래를 해야지!'라고 늘 생각해오던 노래 <너의 모든 순간>을 부를 수 있었다.

언젠가부터 구독자들의 팬미팅 요청이 쇄도했지만, 사람들이 얼마나
올지 몰라 미루고 미뤘다. 그러다 적은 좌석이면 채울 수 있을 것 같아
300석 공연장을 찾아 헤맸는데, 날짜랑 위치를 봤을 때 가능한
곳이 600석 공연장뿐이라 "뒷자리가 남더라도 여기에서 합시다!" 하고
결정했다. 그런데! 단 1분 만에 600석이 매진됐다.
자기들이 왜 600석만 준비했냐며 혼구녕을 내서 급하게 회차를 늘렸다.
1200명의 자기들 앞에서 얼미쇼를 시작했고 감동의 눈물 바다로
마무리했다. 우리가 뭐라고 지방에서까지 올라와서 봐주실까 싶은
마음과 1200명의 자기들이 우리를 사랑 가득한 눈으로 바라봐준 그
모습을 잊을 수가 없다. 무대에서도 울었고 집에 와서도 감동의 눈물이
났다. 그날 얼이랑 얼미쇼를 끝내고 둘 다 '내 인생에 가장 행복한 날 중
하나야'라고 말했다. 떠올릴 때마다 미소가 지어지는 인생의 소중한
기억들이 몇 가지 있는데 얼미쇼가 그렇다.

얼이 인생 버킷 리스트 이룬 날. 바로 키움 히어로즈의 시구자로
야구장 입성! 얼이는 어깨까지 고장 내면서 열심히 연습했지만
긴장감에 공을 패대기치는 실수를 저질렀다. 나 또한 배트를
잘못 잡아서 뭔가 더 '얼미'스러운 모습을 뽐내고야 말았다.
올해 한 번 더 초대해주면 더 잘할 수 있지 않을까?
사랑합니다, 키움 히어로즈.

친구의 웨딩 스냅을 찍어주겠다며 함께 코타키나발루에 갔을 때 탄생한 영상 속 '짤'이다. 열정을 다해 찍는데 얼이가 자꾸만 내 자리를 침범하기에, 내 작품을 망친다는 생각에 툭 튀어나온 말이다. 어떻게 저 상황에서 저런 말이 툭 튀어나왔나 싶다. 특히나 이 자막은 우리 자기들이 명언이라며 가장 좋아한다. 회사 상사한테 해주고 싶은 말이라나? 오늘도 우리 모두 각자 위치에서 최선을 다해보자.

사귄 지 한 달 됐을 때의 사진이다. 무려 12년 전! 오렌지를 다 먹고 오렌지 껍질로 하트를 만들어서 신호를 보내는 중이다. 얼이는 참 저때나 지금이나 표현을 잘 해주는 사람이다. 처음 만났을 때나 지금이나 한결같이 애정 표현을 아끼지 않는다. 나도 얼이 덕분에 표현을 잘 하는 사람이 됐다. 누군가에게 사랑을 보여준다는 건 해도 해도 좋은 일이 분명하다.

결혼기념일에 기부하러 가서 찍은 사진! 자세히 보면 얼이의 눈과 코가 빨갛다. 맞다. 울고 난 후다. 힘들게 대학로 공연 생활을 하던 게 엊그제 같은데 언제 이렇게 커서(?) 대학로에 있는 서울대병원에 기부를 하게 됐는지 싶다며 눈물을 터뜨렸다. 감회가 남달랐던 얼이와 다르게 난 그 모습이 너무 웃겨서 우는 얼굴을 찍었다. 하지만 나도 한편으로는 감동의 눈물을 흘렸다. (진짜다!)

에필로그

작은 행복을 똘똘 뭉치는 건 어렵지 않아

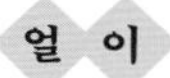

처음으로 영상이 아닌 긴 글로 우리의 시간을 내보인다는 게 무척이나 어려웠다. 솔직한 이야기를 다 나열하는 게 맞는지, 우리가 골몰한 나름의 행복을 이루는 방식이 다른 사람에게도 통할 수 있을지 걱정이 앞섰다. 우리 이야기가 어떻게 들릴지 생각하다 보니 한 글자 한 글자 써나가는 게 더 고단한 작업처럼 느껴졌다.

글을 한 편씩 완성하면서도 많은 구독자에게 다양한 메시지를 주고 싶다는 욕심이 생겼다. 쓰다 지우기를 반복하다 보니 끝이 날 수 있을지 불안해지기도 했다.

책을 잘 쓰고 싶다는 생각에 지지부진하던 어느 날, 가족에게 고민을 털어놓았다. 그랬더니 너무나도 간단한 답이 돌아왔다.

"네가 어떻게 좋은 책을 써?"

맞다. 꾸준히 베스트셀러를 낸 작가조차 좋은 글을 쓰기 어렵다고 하는데, 하루에 열 시간 이상 책상에 앉아 글을 쓰는 작가조차 자기 글에 만족한 적이 없다고 하는데! 처음으로 글을 적어 내려가는 우리가 모두가 좋아할 만한 책을 쓰기 어려운 건 당연한 일이었다.

그래서 목표를 바꿨다. 모두에게 박수받을 수 있는 명작이 아닌, 우리가 말할 수 있는 것들과 다양한 경험을 쓰자고. 우리를 아는 사람들에게는 조금 더 우리와 가까워질 수 있는 이야기를, 우리를 몰랐던 사람들에게는 행복이라는 메시지가 전달될 수 있도록 쓰고자 노력했다.

글을 쓰고 책을 내고 싶은 이유는 단 한 가지였다. 하루하루 버거운 시간, 관계에 지치고, 일에 치여도 우리에게는 그 모든 것을 가볍게 무시할 수 있는 마음의 힘이 있다는 사실을 모두가 깨달았으면 하는 바람을 전하고 싶었다.

"우리는 우리인 채로 행복하다."

음미와 나는 매번 이 말을 떠올린다. 우리도 물론 항상 넘치는 행복 속에 사는 건 아니다. 하지만 힘든 일은 힘든 채로, 어려운 일은 어려운 채로, 그러려니 하는 마음으로 넘긴다. 이런 마음으로 넘기는 힘은 평소 행복하다고 느끼는 기분에서 나오기 마련이다.

음미와 내가 둘이 너무 잘 맞는 짝이라서, 둘이 있기 때문에 행복한 거라고 생각할 수도 있다. 하지만 우리 둘이 행복한 이유는 음미는 음미인 채로, 나는 나인 채로 행복할 수 있기 때문이다. 그래서 둘이 있을 때 더 행복할 수 있다.

물론 나와 음미에게도 왜 나한테만 이런 일이 생겼는지, 타인을 원망할 수밖에 없는 억울한 일이 생기기도 했다.

그럴 땐 꼼짝없이 방에 누워서 천장을 쳐다보는 게 할 수 있는 일의 전부였다. 하지만 이제는 안다. 내 안에 건강한 자존감과 행복했던 기억, 어려움을 이겨낸 경험이 있다면 내 마음속 땅굴에 들어가더라도 금세 빠져나올 수 있다는 것을.

우리를 행복하게 하는 건 로또 1등, 엄청난 성과와 초고속 승진, 릴스 100만 뷰와 같이 큰 것들이 아니다. 가질 수 없어서 더 갖고 싶다고 느끼는 것들은 사실 막상 가지면 먼지처럼 훅 사라질 허망한 욕망일지도 모른다.

우리를 진짜 행복하게 만드는 건 소소한 일상이다. 좋아하는 사람과 커피를 마시고, 풍경 좋은 곳을 혼자 걷는 일. 괜찮은 책을 읽으며 마음을 풍요롭게 하고, 오랜만에 연락온 친구의 가벼운 메시지를 보며 짓는 미소 같은 것이다.

그렇게 하루하루 쌓은 작디작은 행복한 마음을 똘똘 뭉쳐보자. 그리고 뚜렷하고 구체적이지 않더라도 스스로 "오늘은 행복하게 지내보자"라고 다짐해보자. 그리고 부족한 것에는 관심의 스위치를 내려버리자.

이 책은 개개인의 작은 일상 곳곳에서 행복을 찾을 수 있다는 메시지를 주기 위해 시작했다. 늘 평온해 보이고, 웃음 많아 보이는 사람이라 생각하겠지만, 지금의 행복을 누리기까지 참 많은 시간이 필요했다. 막다른 길을 만났을 때마다 왜 나한테 이런 일이 생겼나 싶어 원망하는 마음도 들었고, 억울한 마음에 그냥 아무것도 하기 싫어 기운 잃은 고양이처럼 누워 있기도 했다.

하지만 모든 고통에는 끝이 있다. 그리고 사소한 일상에서도 행복을 찾을 수 있는 힘이 우리에게 있다.

행복은 꿈꾸는 만큼 다가온다.

우리는 날마다 조금씩 행복해진다

초판 1쇄 발행 2024년 6월 24일
초판 2쇄 발행 2024년 6월 28일

지은이 김한얼, 하은미

발행인 이봉주 **단행본사업본부장** 신동해 **편집장** 김경림
기획편집 박주연 **교정교열** 조창원 **디자인** this-cover
마케팅 최혜진 이인국 **홍보** 허지호
국제업무 김은정 김지민 **제작** 정석훈

브랜드 웅진지식하우스
주소 경기도 파주시 회동길 20 ㈜웅진씽크빅
문의전화 031-956-7213(편집) 031-956-7089(마케팅)
홈페이지 www.wjbooks.co.kr
인스타그램 www.instagram.com/woongjin_readers
페이스북 https://www.facebook.com/woongjinreaders
블로그 blog.naver.com/wj_booking

발행처 ㈜웅진씽크빅
출판신고 1980년 3월 29일 제406-2007-000046호

ISBN 978-89-01-28452-1 (03810)

웅진지식하우스는 ㈜웅진씽크빅 단행본사업본부의 브랜드입니다.